格差と分断のアメリカ

Dividing Issues in American Politics

Nishiyama Takayuki
西山隆行

東京堂出版

はじめに

50年後に政治学者や歴史家は、今のアメリカについてどのように記すのだろうか――。

時折、ふとこのような感想を抱かされるほどに、今日のアメリカでは驚くべきことが発生している。

共和党のドナルド・トランプは、２０１６年大統領選挙以来、様々な暴言を吐き続けている。当時民主党のヒラリー・クリントンに対する劣勢が伝えられる中、トランプは自分が大統領になればクリントンを収監すると脅したり、自らが敗北した場合には選挙結果を受け入れるかどうかわからないと発言したりした。大統領就任後には、アメリカ＝メキシコ国境地帯に壁を建設するために非常事態宣言を発してみたり、ロシアのプーチン大統領や北朝鮮の最高指導者である金正恩などを称えたりしたこともあった。

そして今日、トランプは、弾劾訴追された史上3人目の大統領となった。その発端は、２０１９年7月にウクライナのゼレンスキー大統領との電話会談でトランプが、２０２０

年大統領選挙における民主党の有力候補、ジョー・バイデン前副大統領に関する不利な情報を得ようと、軍事支援と引き換えに捜査を要求したとされる、いわゆるウクライナ疑惑である。弾劾裁判は、連邦議会下院で定数435人のうち過半数が弾劾条項と呼ばれるものを可決する形で訴追すれば、上院で実施される。その際、下院議員が検察官、上院議員は陪審員の役割を担い、連邦最高裁判所主席判事が裁判長を務める。大統領を罷免するには、定数100人の上院で出席議員の3分の2の多数が必要となる。民主党が多数を占める下院は、ウクライナ疑惑をめぐる「権力乱用」と「議会妨害」の二つの弾劾条項を採決した。だが、上院の過半数を共和党が握っている以上、弾劾が成立する可能性は低いと考えられている。

トランプがアメリカ史上、極めて特異な大統領であることは間違いない。アメリカでは、ヨーロッパの君主制や宗教的弾圧から逃れてきた人々によって建国されたという建国神話が存在する。そして建国者たちは、大統領が君主のような存在になることがないよう、権力分立の制度を設けるなど、大統領権力を制度的に抑制してきた。だが、トランプはその制約を取り払おうとしている。同時に、アメリカが長い歴史をかけて築いてきた民主政治の伝統を、時に破壊しようとしているようにも見える。

現在のアメリカで発生している異常事態は、共和党側にのみ見られるのではない。2016年大統領選挙では、民主社会主義者と称するバーニー・サンダースが本命のクリントンに対抗し、予想外の存在感を示した。そして今日では、サンダース以外にも、アレクサンドリア・オカシオ＝コルテスなど、民主社会主義者を自称する政治家に注目が集まっている。

アメリカは長らく、共産主義圏・社会主義圏に対抗する資本主義陣営の盟主として冷戦を戦ってきた。これまでの歴史上、社会主義者は糾弾の対象であり続けてきた。だが驚くべきことに、今日では若者を中心に、資本主義よりも社会主義の方を好意的にとらえる人が増えている（第9章参照）。これはアメリカ史上例を見ない現象である。

日本の読者にとって、アメリカで起こっていることは驚きの連続だろう。ただし、驚きの対象は、トランプやサンダースのような特異な個性を持つ人々によってのみもたらされるわけではない。例えば、頻繁に発生する銃乱射事件、白人至上主義者による黒人や中南米系移民に対する嫌がらせ、最も富裕な1％の人がアメリカの富の90％を所有していることに示される圧倒的な経済格差などは、トランプが大統領になるより前から存在し続けている。中南米系などのマイノリティに対する迫害はトランプの台頭に伴って発生したとの印象を持つ人がいるかもしれないが、それはトランプという特異な個性に起因する面もあれば、実はアメリカで頻繁に見られてきたものという側面もある。

いったい今日のアメリカをどのように理解すればよいのだろうか。

本書は、様々な事例を通してこの問いに答えようとするものである。9章から構成されているが、気になる章から目を通していただけると幸いである。

格差と分断のアメリカ——目次

第2章 宗教に翻弄されるアメリカ

第3章 多民族国家アメリカ

第6章 選挙大国アメリカ

第7章 二大政党の国アメリカ

第8章 メディア大国アメリカ

第9章 格差と分断のアメリカ

全ての人にメディケアを
民間医療保険の発達
民主党左派の戦略の有効性

第1章

大統領に翻弄されるアメリカ

1. トランプ政権期の政治的混迷

◆移民問題と「壁」建設をめぐるドタバタ

２０１７年にドナルド・トランプ政権が発足して以降、アメリカ政治は混迷の度を増している。トランプは２０１６年大統領選挙で、不法移民がアメリカとメキシコの国境地帯を越えて数多く流入し、ドラッグや強姦《ごうかん》、人身売買など、多くの犯罪をもたらしていると主張し、この事態を防ぐための公約としてアメリカ＝メキシコ国境地帯の壁の建設をあげた。だが、民主党はその主張を一貫して否定しており、不法移民問題と国境の壁問題をめぐって混乱が続いている。

政権発足直後、トランプは国境地帯に壁を建設するよう大統領令を出したが、連邦議会がそのための予算を計上していないこともあり試みは失敗する。しかし、トランプは壁建設をあきらめたわけではなく、アメリカは、政権発足1周年にあたる２０１８年1月20日を、連邦政府諸機関が一部閉鎖された状態で迎えることとなる。

なぜそんなことが起こったのだろうか？　詳しく見ていこう。

アメリカの会計年度は10月1日に始まるため、２０１８年度予算は２０１７年9月末日までに成立しているのが望ましい（ただし、そこまでに予算が成立することは通例ない）。だが、9月末日までに予算が成立せず、４度にわたり暫定予算が組まれることになった。そして4度目の暫定予算が期限を迎えた２０１８年1月19日になっても、共和党指導部は5度目の暫定予算案を議会上院で通過させるのに必要な60票を確保することができなかった。そのため連邦政府が一部閉鎖する事態に陥ったのである。

それまでにも、連邦政府の一時閉鎖は何度か起こってきた。前回の閉鎖は２０１３年10月に発生している。当時の政権党だった民主党のバラク・オバマ政権（２００９〜１７年）が推進しようとしていた医療保険制度改革に対して、ティーパーティ派を中心とする共和党議員が予算成立に反対した。その結果、連邦政府が16日間にわたり閉鎖する事態となったのである。予算が成立していないとどうなるか。例えば国立公園の閉鎖やパスポートの発給手続きの遅れなど、様々な政府機能が滞ってしまう。従軍中の兵士や刑務官の仕事などは継続されるが、その給与の支払いが遅れるなどの問題も発生した。こうして当時の政権は多くの批判を浴びたのである。

非常事態宣言に署名するトランプ大統領(2019年2月15日)

今回の移民問題をめぐるアメリカ政治の混乱と政府閉鎖は、一度で終わらなかった。2018年末、再び移民問題をめぐってトランプ大統領と連邦議会が対立し、12月22日から一部の連邦政府機関が閉鎖に追い込まれたのである。この一時閉鎖は1ヵ月以上に及び、多くの国民が被害を蒙《こうむ》り、世論もトランプに批判的になっていった。その結果、2019年2月にはトランプの妥協により暫定予算が組まれ、連邦政府の閉鎖はようやく解除された。

だが、不法移民と国境の壁をめぐる混乱は、これで終わらなかった。驚くべきことに、トランプは暫定予算成立後に行われた一般教書演説でアメリカ＝メキシコ国境地帯の治安問題に対応するべく壁建設の必要性を強調し、壁建設予算を確保するため2月15日に非常事態宣言を発するという、前代未聞の行動に出たのである。

このように、今日のアメリカ政治は混乱状態にある。しかも、その状態が慢性化しつつあり、今後混乱の度合いがさらに増す可能性がある。

この状況に読者はいくつかの疑問を持つだろう。

アメリカの大統領は、望むことなら何でもすることができるのだろうか？

そもそも、政府が一時閉鎖するという奇妙な事態はなぜ起こるのだろうか？

本章では、アメリカ大統領の権限に着目することによって、この問題について考えてみたい。

2. アメリカ大統領の権限は強大か？

◆権力分立――大統領を「君主」にさせないための工夫

トランプ大統領の行動がアメリカのみならず世界中の注目を集めていることを思うと、

アメリカの大統領の権限は非常に大きいと思う人がいるかもしれない。それは半分正しく、半分間違っている。大統領は行政部内部では極めて大きな権限を持つものの、立法部である連邦議会との関係では権限が限定されているからである。

アメリカはしばしば、「ヨーロッパの君主制を否定する」観点から建国された、と紹介されることがある。実際、建国者は、大統領をヨーロッパの君主のようにしないよう、つまり大統領に権力を一極集中させないように様々な工夫を行った。

だが、合衆国憲法制定時には、単に大統領権力の抑制のみが意図されたわけではない。建国者たちの間では、立法部門に権限を与えすぎると多数の専制状態になるという危惧も強かった。例えば、当時のアメリカ国民の大半は貧しかったため、借金の帳消しや、富裕層の資産差し押さえを定める法律が作られたりするのではないかと懸念された。大統領には、民主主義の過剰と呼ばれるそのような事態を抑制する役割も期待されていた。大統領が巨大な権力を持つことは避けたい、しかし民主主義の過剰を抑制する存在であってほしいという、相反する思いが交錯していたのである。

建国期にまず重要視されたのは、大統領が利己心ではなく公徳心を持って行動し、圧政を布《し》かないことである。だが、個人の倫理や規範に期待するだけでは十分でないとの認識に基づき、ジェイムズ・マディソンら建国者たちは、合衆国憲法で様々な制度的工夫を行った。

そこで作り出された制度が、「権力分立」と呼ばれるものである。すなわち、建国者たちは「立法機構（連邦議会）」「行政機構（大統領）」「司法機構（裁判所）」を分立させ、それぞれに権力を分有させるという三権分立の考え方を制度化した。これによって権力の一極集中を避けようとした。

大統領の権限について説明すると、立法機構である連邦議会を抑制することができるくらいの権限は与えるが、君主とはならないようにその権力は制約を受ける。そのような大統領制が目指されたのである。

日本では、首相をはじめとする閣僚の過半数が国会議員でなければならない、と憲法で定められており、立法部と行政部の両方に所属する人がいることが想定されている。従って、日本の場合は行政部である内閣の構成員が、法案を提出することも可能である。

それに対し、アメリカの大統領制は厳格な権力分立を前提としている。立法については、基本的な権限を持つのは連邦議会であり、大統領は連邦議会を通過した法案を承認して通過させるか、あるいは拒否権を発動するかを決定する権限を持つにすぎない。アメリカでは、大統領が立法上の措置を講じたいと願う場合には、連邦議会に法案通過を依頼するより他ない。このように、連邦議会が作成した法案に対して大統領が拒否権を持つことで連邦議会の暴走を防ぐことが想定される一方で、大統領は立法権を持たないため、君主のように振る舞うことは制度的にできなくなっているのである。

予算についても、アメリカは日本とは異なる決定方式をとっている。多くの国では行政部（内閣）が予算案を作り、議会がそれをそのまま通すのが一般的である。日本のような議院内閣制の国の場合には、行政部を立法部（議会）の多数派が支えているため、政府が提出した予算が通らない事態は基本的に想定されない。だが、アメリカの場合は事情が異なる。予算が法律として作成されるためである。大統領は毎年予算教書を発表するものの、予算を作るのは立法部である議会なので、議会の反対にあえば大統領が実施したいと考える政策に予算がつかない事態が発生するのである。

連邦議会の上下両院で同じ予算案が通過し、それを大統領が承認すれば予算は成立する。しかし、大統領が拒否権を行使すれば予算は成立しない。なお、通例の法律は議会で多数の支持を得れば成立するが、予算については上院を通過するためには60票の賛成が必要である（上院の議員数は１００名である）。

このように、立法部との関係でいえば、大統領の権限は大きく制約されているのである。

◆行政権は大統領に属する

他方、大統領は行政部の中では大きな権力を持つ。憲法の規定上、日本では行政権は内閣に与えられており、行政権は首相（総理大臣）ではなく、内閣という集団に与えられている。日本の首相は、英語ではPrime Minister、すなわち、閣僚（大臣）の中で最高位の人物という位置づけである。これに対し、合衆国憲法では、行政権は大統領に属すると定められている。行政権を特定の個人に与えることで、政治の混乱を防ごうという考えを反映しているといえる。

合衆国憲法には内閣についての規定はなく、閣僚は、例えば国務長官はSecretary of Stateと表現されて、大統領の秘書という位置づけである。南北戦争当時の大統領であるエイブラハム・リンカン（1861〜65年在任）は、閣議にてある提案をした際、全閣僚7名から反対された。それに対しリンカンが、「反対7、賛成1、従って賛成に決定された」と発言したのは有名である。

もっとも、大統領と閣僚の間で意見の対立が表面化することは稀であり、大統領が下す

図表1　アメリカの大統領制と日本の議院内閣制

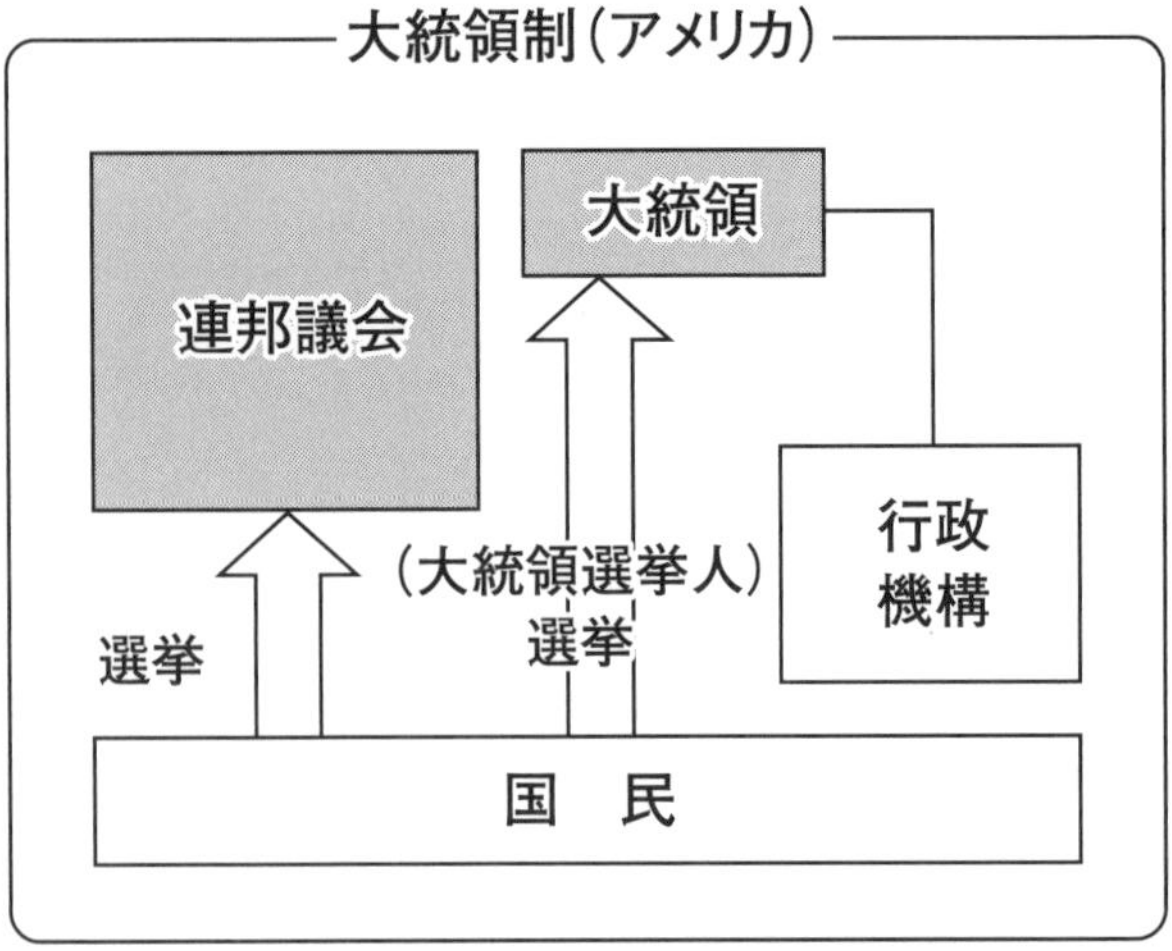

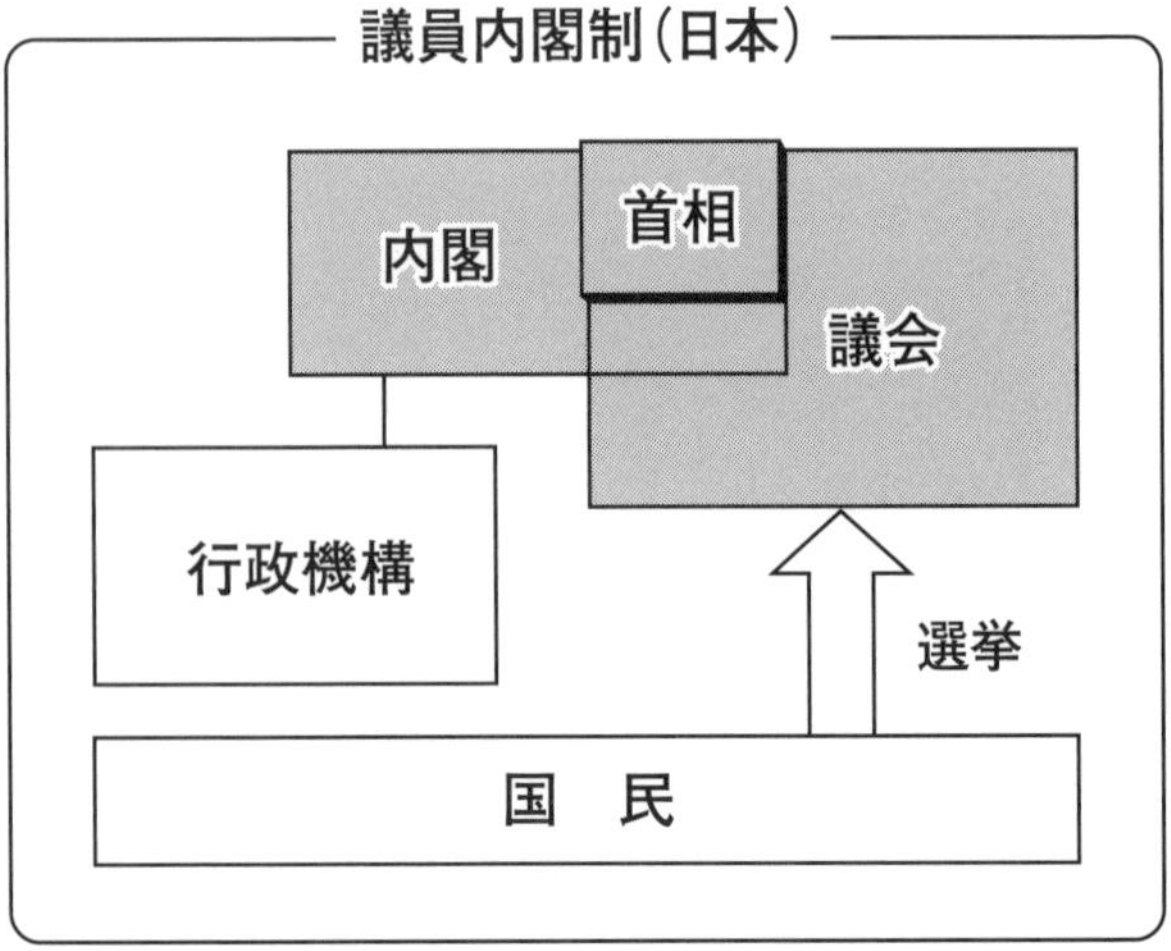

決定は閣僚の賛同を得ているのが通例である。だが、トランプの場合、閣僚の賛同を得ていない内容の大統領令を出すこともある。大統領令とは、行政部の活動方針を定めるために大統領が出す命令だが、これは閣僚の決定に優位する。日本政界で時折問題になる閣内不一致という現象は、アメリカではもっぱら、閣僚が起こした問題という位置づけなのである。

このように、行政部内における大統領の権限は絶大であり、閣僚の見解を全て否定する権限を有している。従って、例えば国務長官などが他国と交渉して大枠で合意し、その内容をメディアで発表したとしても、大統領が夜中の2時にその内容を批判するツイッターを出してしまえば、そちらが優位する。なお、アメリカには日本の閣議決定にあたるものは存在しない。大統領が出すツイッターは公文書であり、アメリカ政府の公式文書という位置づけである。

アメリカの大統領が行政部内部で大きな権限を持つことは、大統領が交代すれば行政部門の3500人近い人員が入れ替えられるという慣行にも反映されている。日本では役人の大半が資格任用試験の結果に基づいて採用され、高い地位に上り詰めた役人は閣僚を上回る威信を持つことがある。だが、アメリカの場合は政策決定に影響を及ぼす可能性のある高位の役人は大統領によって任命されるので、その忠誠は大統領に向けられる。また、大統領は軍の最高司令官でもあり、行政部内における大統領の権限は絶大である。

このように、大統領は立法機構との関係では権限に制約がかけられてはいるが、他方で、その気になれば大きな権力を行使することが可能になる。このような形で、アメリカ政治のルールは作成されているのである。大統領は連邦議会が作成した法案に対して拒否権を行使することで議会の試みを妨げることが可能であり、行政部門で完結するような事柄については、例えば大統領令の発動や行政協定締結などの形で議会の制約を受けることなく行動する余地が残されたのである。

◆不文律を破るトランプ

ただし、合衆国憲法は短い文章であるため、大統領の権力行使に関する具体的なルールは明文化されておらず、その運用は歴史的な慣行に委ねられることになった。

大統領が独断的に行動し続けるという事態は、アメリカ史上長きにわたって想定されてこなかった。それはもちろん、権力分立制度が導入されたことによって大統領の権力が制約されてきたからである。それに加えて、大統領自身が独断的な行動をとるべきではないという規範を持ってきたことも重要である。

歴史上、大統領は自らの権限をできるだけ抑制的に行使しようと努めてきた。初代大統領のジョージ・ワシントン（1789～97年在任）以来、長らく大統領は、拒否権を行使するのは法案の内容に憲法上の疑義がある場合に限定していた。大統領令の発動も基本的には議会が定めた内容を実施する上で優先順位を定めるなどの目的に即した範囲で行われるのが原則とされていた。

例外となる可能性があると危惧されたのは、シオドア・ローズヴェルト（1901～09年在任）である。20世紀初頭に大統領に就任する以前の時点でローズヴェルトは、憲法上はっきりと禁止されていない限り大統領はいかなる行動をとることも可能であるという「大統領職のスチュワードシップ理論」と呼ばれる考え方を提示していた。大統領の権限を広げようとするこの考え方は大きな懸念を抱かせ、共和党主流派はその野心を押し込めるために、ウィリアム・マッキンリー政権（1897～1901年）の副大統領職（当時閑職とみなされていた）に、ローズヴェルトを押し込めた。マッキンリーの暗殺に伴いローズヴェルトは大統領になったのだが、大統領となったローズヴェルトも伝統的なアメリカ政治の前提から大きく逸脱することなく、自制した行動をとった。

このような大統領による自己抑制は、制度的なものというよりは、歴史上築かれてきた一種の規範であり、大統領がそのような不文律を乗り越えようとした場合でも連邦議会やメディアなどワシントン政界の有力者が自制を呼び掛けてきた。

それに加えて、アメリカ政治史上、不文律を乗り越えて大きな権限を行使しようとする人物が大統領候補になる可能性が、そもそも低かった。かつては、大統領候補は党の有力者の合議によって実質的に決定されていた。今日では、二大政党の候補となることを志す人物は長い時間をかけて州ごとに行われる予備選挙・党員集会を勝ち抜かねばならない。そのためには、多くの州で有力者の協力を得るとともに、膨大な資金を確保する必要がある。よって独断的な行動をとったり他部門に対し敬意に欠ける行動をとったりする可能性の高い人物は、その過程で排除されてきた。

だが、トランプはそのような不文律を積極的に破ろうとしており、従来見られたような非公式の制約が利かなくなりつつある。全国的な知名度と大きな資金力を誇るトランプは、党の有力者の支持を得なくとも大統領候補になることができたためである。トランプはアメリカの大統領のあり方を変えようとしているのである。

3. 大統領権力のジレンマ

これまで述べてきたように、アメリカ大統領の権限、とりわけ立法権限は大きく制限されている。にもかかわらず、大統領候補は大統領選挙に際して実現を目指す公約を掲げて戦うので、アメリカ国民は大統領が掲げた公約に基づいて立法がなされることを期待する。このように、権限の弱い大統領が大きな役割を果たすよう期待されることが、今日のアメリカの大統領権力のジレンマである。

◆政党規律の弱さ

大統領権力のジレンマの問題を考える上で、日本と大きく性格の異なる点を指摘しておきたい。第一は、アメリカでは政党規律が弱く、大統領の方針に基づいて党議拘束がかけられる事態が想定できないことである。

議院内閣制が採用されている日本では、行政部の長である首相は立法部（議会＝国会）において選出される。その結果、首相は立法部の多数派政党の党首が務めるのが一般的である。そのため、行政部つまり内閣が問題のある決定を行った場合、内閣だけでなく、立法部で多数を占める与党もその責めを負う可能性がある。このような事情があるため、議院内閣制の場合、重要な政策課題の採決にあたって党は所属議員に対して党や会派の決めた方針に従って投票するよう拘束をかける（党議拘束）のが一般的である。

これに対し、アメリカの場合、大統領と連邦議会議員は独立した選挙で選ばれ、日本のように立法部（議会）が行政部の長（大統領）を選ぶという関係にはない。立法部と行政部の間の権力は分立していて、互いに抑制と均衡の関係に立つことが期待されている（日本など議院内閣制の場合は、「権力の分立」ではなく、「権力の融合」が期待されている）。そのため、大統領が何らかの方針を示したとしても、連邦議会議員は大統領と同じ政党に属している場合であっても、大統領の方針に従うことは必ずしも期待されていないのである。

大統領の方針に基づく党議拘束が発生しない理由として、大統領選挙でも連邦議会選挙でも、候補者が予備選挙や党員集会によって選出されることもあげられる。日本を含む多くの国では、政党が候補者公認権を持っている。だが、アメリカの場合は党の主流派の方針に反する人物が予備選挙や党員集会で勝利したとしても、その人物が党の候補となる。このような状況では、議会での投票に際して、党主流派の方針や大統領の方針に反する行

図表2　上下両院の連邦議会議員が党の方針に賛同した割合

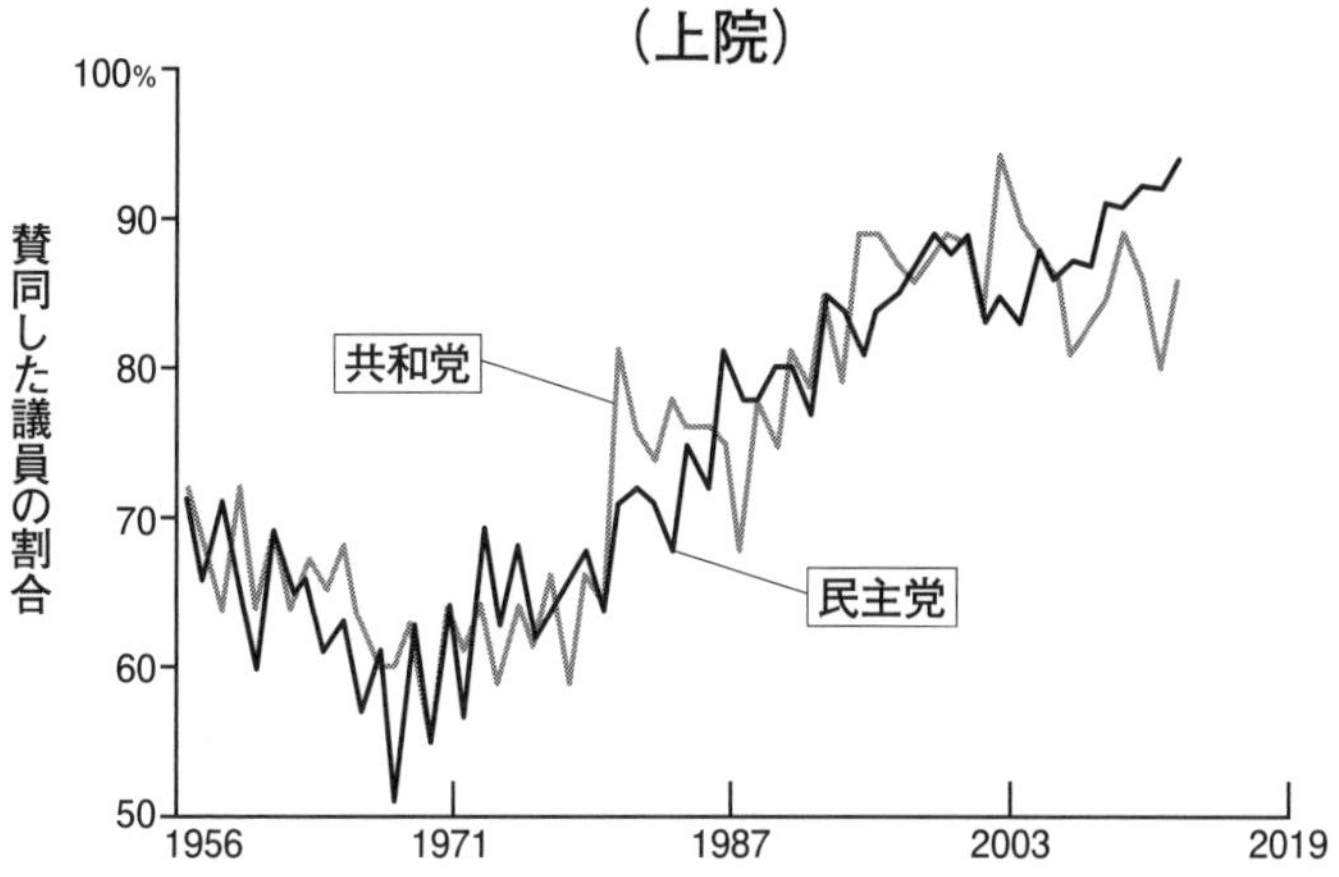

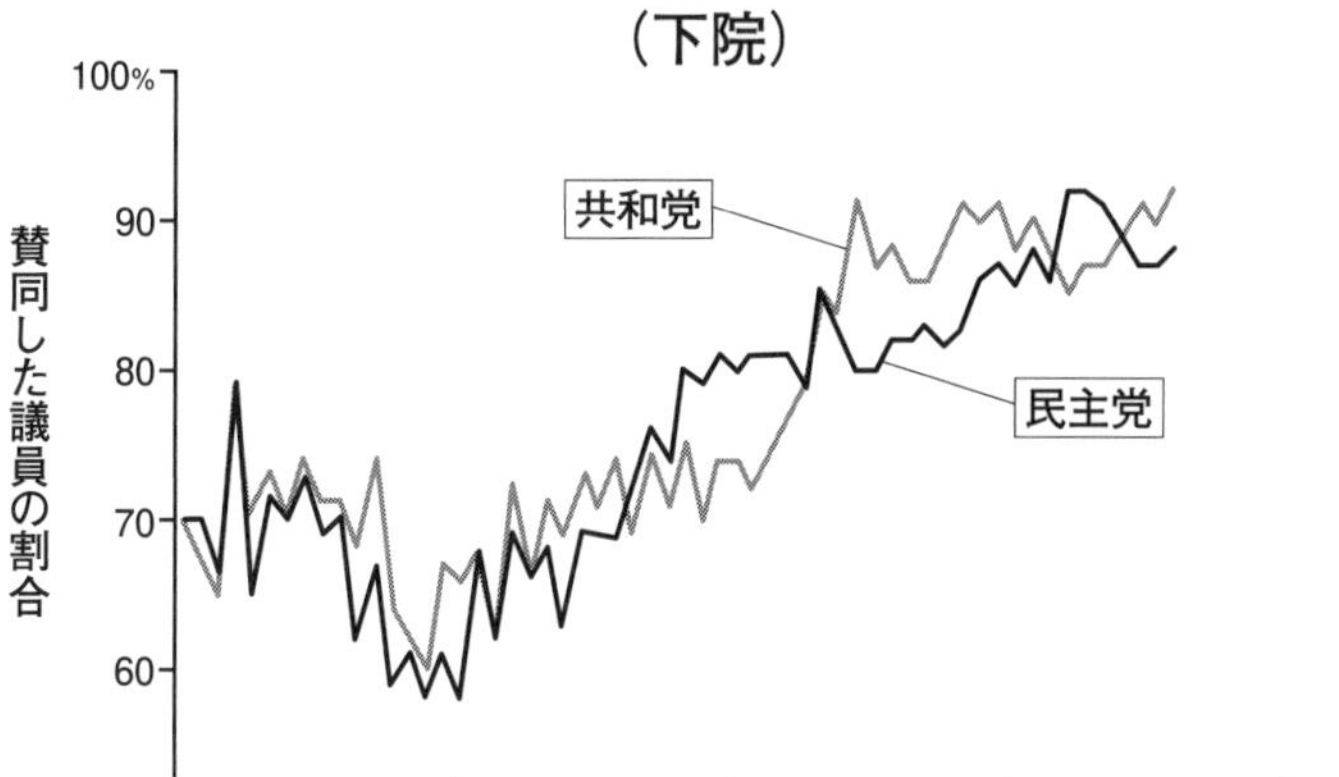

（出典）<http://media.cq.com/votestudies/>

動をとる人物がいても不思議ではないだろう。

図表2は、各政党に属する上下両院の連邦議会議員が、主流派の掲げる方針にどの程度賛同したかを示している。1970年代には、日本流にいうと造反議員が3割以上いたことがわかるだろう。近年では主流派の方針に従う人が増えており政党規律が高まっているが、平均して1割程度は造反している。これは日本では想定できないことであり、このような状況では大統領の掲げる方針が賛同を得られないのは容易に想像できる。

かつて、小泉純一郎首相が郵政三事業民営化の方針に基づいて党議拘束をかけ、その方針に反する人を公認しないということがあった。当時、強力な権力を振るう小泉のことを「大統領型首相」と評する論者がいたが、小泉が強力な権力を行使することができたのは、彼が大統領制ではなく議院内閣制の制度的特徴を把握して行動していたためである。また、アメリカと違って日本では候補者公認権を政党が持っているためでもある。このような制度上の相違を理解する必要があるだろう。

◆立法部と行政部の間で「ねじれ」が発生することもある

アメリカでは、連邦議会上院および下院（立法部）・大統領（行政部）のいずれかの部門を、異なる政党が支配することが頻繁に起こる。この状態を「分割政府」と呼ぶのだが、このことも大統領の意向に沿った立法をしばしば困難にする。アメリカでは立法部の連邦議会議員と、行政部の大統領が異なる選挙で選ばれる。つまり一方（議会）が他方（大統領）を選出する関係ではないことから、こういった「ねじれ」が起こるのである。ところが先述したように、法律を制定するには、連邦議会の上下両院で同一内容の法案を採択し、その上で大統領の承認を得なくてはならない。だが、それは分割政府の下ではハードルが高くなるのである。

もっとも、図表３に示されているように、大統領の所属政党、連邦議会上院の多数党、連邦議会下院の多数党の全てが一致する、「統一政府」と呼ばれる状況はむしろ稀であり、分割政府の状態が一般的だといえる。また、分割政府の時期と統一政府の時期で重要法案の成立率はさほど変わらないという研究もある。だが、近年のように政党規律が強くなっている状態では、分割政府の下では立法活動がより困難になる。

例えば、分割政府の下では予算が通過しにくくなる可能性が高まる。オバマ政権までは、予算が成立せずに政府が一部閉鎖したのは全て分割政府の時期だった。トランプ政権の下でアメリカ史上初めて、統一政府の状況下で連邦政府が一部閉鎖する事態が発生したが、

図表3　分割政府と統一政府（太字は大統領選挙実施年）

選挙年	大　統　領	大統領の政党	上　院多数党	下　院多数党
1980	ロナルド・レーガン	共和党	民主党	共和党
1982			民主党	共和党
1984	ロナルド・レーガン	共和党	民主党	共和党
1986			民主党	民主党
1988	ジョージ・H・W・ブッシュ	共和党	民主党	民主党
1990			民主党	民主党
1992	ビル・クリントン	民主党	民主党	民主党
1994			共和党	共和党
1996	ビル・クリントン	民主党	共和党	共和党
1998			共和党	共和党
2000	ジョージ・W・ブッシュ	共和党	共和党	民主党
2002			共和党	共和党
2004	ジョージ・W・ブッシュ	共和党	共和党	共和党
2006			民主党	民主党
2008	バラク・オバマ	民主党	民主党	民主党
2010			共和党	民主党
2012	バラク・オバマ	民主党	共和党	民主党
2014			共和党	民主党
2016	ドナルド・トランプ	共和党	共和党	共和党
2018			共和党	民主党

これはトランプの個性によるところも大きい。とはいえ、分割政府が発生する可能性がある中では、大統領の方針に基づく立法活動が困難になる確率が高まるのである。

◆世論動員・政界勢力結集・大統領権限の活用

このような前提条件がある中で、大統領が何らかの立法上の成果を出そうとするならば、連邦議会に立法を促すより他ない。統一政府の状況下では、大統領と連邦議会の関係が良好ならばその試みは比較的容易だろう。とりわけ、大統領選挙と同じ時に行われた連邦議会選挙で当選した議員の中には、大統領の人気が高かったがために当選できた人も含まれる（人気の高い大統領候補のおかげで連邦議会議員が当選できる事態を、コートの裾が引きずられるイメージから、「コートテール」という）。そのような議員が多い時は、大統領の方針に基づく立法も行われやすい。

だが、大統領が立法を望むにもかかわらず連邦議会が大統領の方針に基づく立法活動を行わない場合、大統領には、民意に訴えかけて世論を動員し、間接的に連邦議会議員の支持を調達するか、連邦議会議員やメディアなどの政界関係者を個別に説得して立法措置を講じてもらうしか方法がない。

しかし、トランプはしばしば世論の分断を煽る発言を続けており、世論の圧倒的な支持を得て連邦議会に立法化を迫るのは不可能に近い。また、連邦議会内部で、民主党のみならず共和党議員からもトランプの言動に対する批判が強まっている現状では、説得に基づいて議員の支持を得て立法を図るのも困難である。トランプがワシントン・ポストやCNNなどの伝統的メディアによる報道を「フェイク・ニュース」と呼んでいる現状では、メディア関係者を説得して政界勢力を結集するのも困難だろう。

このような状況下で、トランプ大統領は、公式の立法を経ることなく、大統領令などの大統領権限の発動に依拠した行動を頻繁にとるようになっている。

◆大統領令の効力とは?

ここで、大統領令についてすこし説明をしたい。大統領令には「大統領が発令する強力な法令」のようなイメージがあるかもしれないが、実はそうではない。大統領令は、大統領が閣僚や官僚などの行政部門に対して出す命令のことであり、法律を代替するものではない。基本的には行政部を律するためのもの、あるいは、行政の指針を示すものであるにすぎず、既存の法律を覆すことはできないし、大統領が代わって新しい大統領が先の大統領令を撤回すれば効力を失う。

では、なぜ大統領令が必要かといえば、行政活動を円滑に行うためである。日本の場合は立法に際して内閣提出法案が大半を占めており、その際には内閣法制局によって過去の法律との整合性が十分に検討されている。だが、アメリカの場合は、立法は全て議員立法によって行われており、既存法規との整合性が十分に考慮されていない場合が多い。また、妥協を容易にするため、対立的な要素の大きい問題については、あえて法律の規定を曖昧にすることも多い。そのような中で、法律の執行方針を明確にするとともに、効率的な行政活動を行うことを目的として、大統領令は出されているのである。

だが、今日では、大統領令はそのあるべき目的を超えて乱用されているとの批判がなされている。これはトランプ大統領に限られたものではなく、前任のオバマ大統領についても同様である。

例えば、オバマは大統領令で、アメリカ国内に居住している不法移民に関して、若年層向け強制送還延期プログラム（DACA）を出した。これは、子どもの時に親に連れられてアメリカに入国した不法滞在者（「ドリーマー」と呼ばれる）について、国外退去処分を行わないようにするとともに、彼らに労働の許可を与えようとするものだった。現在

1000万人以上いるとされる不法移民を一時《いっとき》に強制送還するのは不可能なので、一部のドリーマーの国外退去処分を行わないというのは、強制送還の優先順位を明確化する正当な大統領権限だと考えられている。だが、ドリーマーに対して労働許可を与えるのは、既存法に根拠を持たないため、正当な大統領権限の行使といえるかについて疑問が呈されている。

このように考えれば、大統領令には様々な限界があることがわかるだろう。大統領令が出されるのは通常想定されている立法活動が行えない場合であり、大統領が大統領令だけで歴史に名を残すような大きな成果をあげることは容易ではない。

◆非常事態宣言

トランプが国境の壁建設予算を確保するために発動した非常事態宣言も、大統領権限の一環である。だが、これはアメリカ政治の禁じ手と呼ぶべき手法だった。

繰り返し述べているように、大統領には法案を提出する権限はなく、連邦議会が制定した法律を執行するのがその役目である。だが、国家の危機に際しては連邦議会が迅速な決定を行うのが困難なこともあり、大統領が大胆な策を講じることができると考えられてい

第16代大統領エイブラハム・リンカン(1809～65年)

る。

例えば、南北戦争期の1861年にリンカン大統領が南部連合との衝突の危機に直面する中で、敵軍の港湾封鎖、軍隊の規模拡大、人身保護令状の停止を宣言したことがあった。このような大統領令は合衆国憲法が想定するものではなかったものの、議会閉会中だったこともあり、連邦議会もその措置を承認した。

その後、第一次世界大戦期の1917年にウッドロウ・ウィルソン大統領(1913～21年在任)が外国人によるアメリカ国籍船の所有権移転を制限したり、大恐慌最中の1933年にフランクリン・ローズヴェルト大統領(1933～45年在任)が金融取引を一時停止するために銀行の休業を命じたりした。ローズヴェルトは第二次世界大戦期にもいくつかの非常事態宣言を発動している。だが、大統領令や非常事態宣言は無条件で認められるわけではない。例えば、ハリー・トルーマン大統領（1945～53年在任）は朝鮮戦争の際に、鉄鋼業者を国有化する大統領令を発した。だが、それに対しては、連邦最高裁判所が違憲判決を出している。

もっとも、トルーマンの時代と今日では、前提条件が異なっている。1976年に国家非常事態法が成立しているためである。この法律は、大統領が必要と認めた際に非常事態を宣言することによって、大きな権限を振るうことができると定めている。この法律は危機的状況とはどのような状態かについて定義を明確にしていない。国家非常事態法が成立して以降、60回近く非常事態宣言が発動されており、今日でもそのうち30以上が有効である。ビル・クリントン大統領（1993～2001年在任）は17回、ジョージ・W・ブッシュ大統領（2001～09年在任）は12回、バラク・オバマ大統領は13回の非常事態宣言を発動した。例えば、W・ブッシュ政権が2001年の9・11テロ事件後に出した非常事態宣言は今日でも効力を維持している。また、オバマ政権は新型インフルエンザが流行した2009年に非常事態宣言を出している。

非常事態宣言は緊急措置と位置づけられており、新しい法律を作るものでもなく、大統領が予算を自由に使うのを可能にするものでもない。予算は法律で定められることになっているため、大統領が非常事態宣言を発動したとしても、連邦議会が認めない限り予算が自動的に認められるわけではない。

◆合衆国憲法の基本的理念の否定

アメリカの歴史上、大統領が非常事態宣言を発動することはあった。だが、2019年2月のトランプによる非常事態宣言は例を見ないものである。なぜなら、トランプが要請した壁建設費用の予算化を否定する内容の予算案を連邦議会が提出し、大統領自身もそれを承認した直後に、その予算案を覆すことを目的として非常事態宣言を発動したからである。

非常事態宣言は、予期せぬ国家的危機に迅速に対応することを目的として、合衆国憲法が想定する権力分立原則を一時的に乗り越えて大統領が権力を行使するのを認めるものである。トランプはアメリカ＝メキシコ国境地帯が危機的状況にあると繰り返し主張してきたが、連邦議会はそれを緊急の国家的危機と認定しない前提に立った上で予算法案を通過させている。

この非常事態宣言は、一面では、大統領を中心とする共和党と民主党の間に存在する明確な分断のなれの果てとして出された面がある。だが、この件については、民主党議員のみならず、共和党議員の中からも懸念を示す人々が登場している。仮にこのような非常事態宣言の発動を認めてしまえば、例えば、2020年の大統領選挙の結果、民主党の大統領が登場すれば、富裕層増税や銃規制、環境保護を目的として非常事態を宣言するのではないかというような懸念が表明されているのである。

トランプによる非常事態宣言の発動が禁じ手だといえるのは、それを乗り越えるのが困難だからである。非常事態宣言を無効化するには、連邦裁判所で無効判決が確定するか、連邦議会で無効化する法律を通すしかない。だが、前者については各種訴訟を提起していくにはかなりの時間を要することから、非常事態宣言に基づいて様々な活動が先に行われてしまうだろう。他方、後者については、無効化法案を成立させるためには連邦議会上下両院でそれを通過させた後、大統領による承認を得なければならない。だが、大統領が自らが出した非常事態宣言を無効化する法案に署名するとは想定しにくい。大統領の拒否権を乗り越えるには、議会上下両院でその3分の2以上の支持を得て同一法案を通過させる必要があるが、その数を確保するのは容易でない。

先述したように、アメリカの建国者たちは、合衆国憲法の創設に際し、大統領の権力が大きくなりすぎてヨーロッパの君主と同様になるのを避けるために、大統領と連邦議会、連邦裁判所を、抑制と均衡の関係に立たせる権力分立の制度を構築した。連邦議会が法案制定のみならず予算制定に関しても主管すると定められているのは、大統領の独裁的行動を抑制するためである。今回のトランプ大統領による非常事態宣言は、そのような合衆国憲法の基本的理念を否定しようとする試みである。

だが、このような禁じ手をトランプが使った背景には、彼の野心という問題に加えて、権限が弱い大統領が強力な役割を果たすよう国民が期待するという、大統領権力のジレンマが存在するのである。

4.「ワシントン政治の素人」への期待

ここまで、アメリカの大統領は実は必ずしも大きな権力を持っているわけではないことを説明してきた。にもかかわらず、大統領に対して大きな期待が寄せられるのはなぜなのだろうか?

また、現在のトランプ大統領は、大統領になる前から様々な物議を醸す発言と行動をとってきた人物である。トランプは知名度は高いものの政治経験のない、いわばワシントン政治の素人である。

連邦政界の常識を覆そうとするトランプに対する支持が集まったのはなぜなのだろうか？

混乱を招き、批判も強い手法をとるトランプに対して、依然として一定の支持が集まるのはなぜなのだろうか？

◆政治不信の高まり

この背景には政治不信の高まりがある。

図表4は、アメリカ国民の統治機構に対する信頼度の変遷を示している。この図を見ればわかるように、統治機構に対する人々の信頼度は1970年代以降、低くなっている。この傾向は、共和党のリチャード・ニクソン大統領（1969～74年在任）が民主党の選挙対策本部のあったウォーターゲートビルに盗聴器を仕掛けようとしたウォーターゲート事件が発生してから顕著になっている。なお、2000年代初頭に統治機構に対する信頼

図表4　統治機構に対する人々の信頼度の変遷（1958〜2019年）

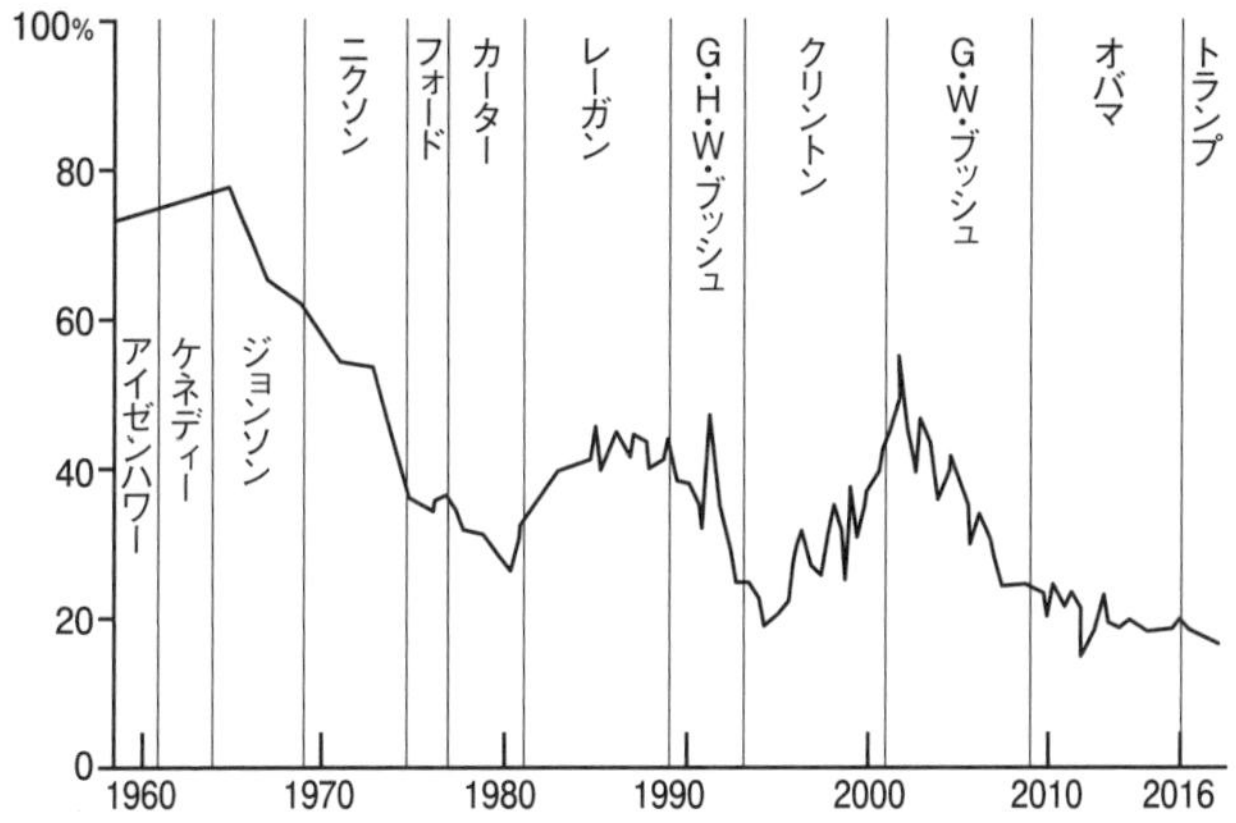

（出典）Pew Research Center.
<https://www.people-press.org/2019/04/11/public-trust-in-government-1958-2019/>

図表5　大統領と連邦議会に対する支持率

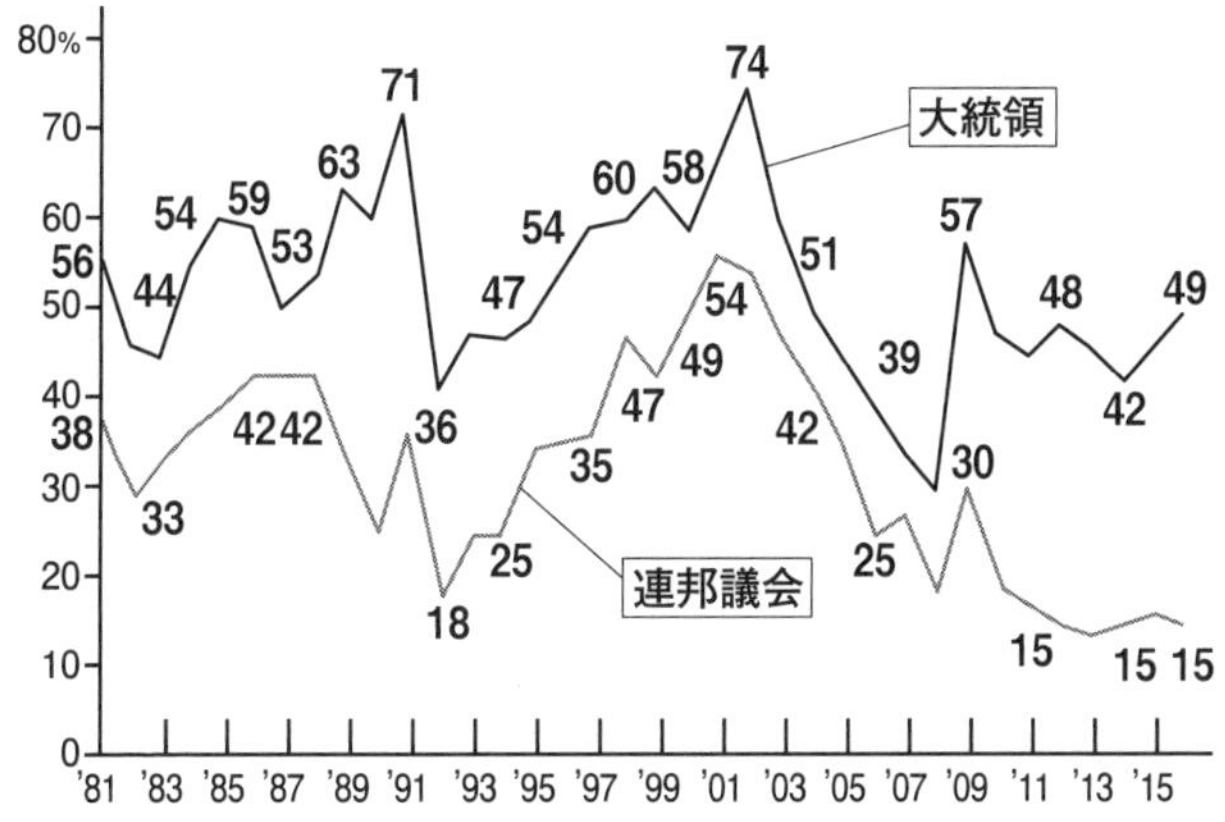

（出典）Gallup.
<https://www.gallup.com/poll/191057/obama-retains-strong-edge-congress-job-approval.aspx>

度が一時的に上がっているが、これは9・11テロ事件という特異な状況があったための例外的現象だろう。

その上で注目すべきなのは、図表5にあるように、連邦議会に対する支持率は大統領に対する支持率よりも低いことである。W・ブッシュ政権末期にイラク戦争などの問題もあり大統領の支持率が低下したり、トランプ大統領の支持率の低下が取りざたされたりするが、連邦議会の支持率はそれ以上に低いのである。

◆フェノのパラドックス

アメリカ政治を理解する上で重要なのは、連邦議会に対する支持率が低いにもかかわらず、連邦議会選挙が行われれば現職議員の再選率が9割を超えることである。このような一見矛盾した現象を、その問題を明確に指摘した学者の名をとって「フェノのパラドックス」という。

このパラドックスが発生する理由には、現職議員は交通費や通信費が支給されることや、メディアの注目を得て知名度が上がりやすいことがある。また、連邦議会下院については10年ごとに選挙区割りがなされるが、その際には現職に有利な区割りがなされる傾向があることもその理由である。さらには、現職議員は選挙区に公共事業などの恩恵をもたらす政策を実施することがある（これを「ポーク・バレル」という）。アメリカ国民も一般論としては公共事業に反対しているため、ポーク・バレルは議会不信を強める。だが、公共事業を持ってきてもらった選挙区内では、その現職政治家に対する支持は強まる。このような要因が積み重なって、フェノのパラドックスは発生するのである。

◆「ワシントン政治の素人」に対する期待の高まり

このように、今日のアメリカでは政治不信が強まっており、変革を求める声も強い。にもかかわらず、連邦議会選挙では現職候補の大半が当選して、議会の構成は選挙を経ても大きく変わることはない。このような状況の中で、変革を求める有権者の期待は大統領に向かう。しかも、大統領選挙の際には、連邦政界と関わりの薄い、ワシントン政治の素人ならば政治のあり方を変えてくれるのではないかとの期待が強くなる。

ワシントン政治の素人に対する期待の強まりは、大統領の経歴を見れば一目瞭然である。かつては大統領には元上院議員など連邦政界での経験が豊富な人物が就くことが多かった。だが、ウォーターゲート事件以降、連邦政界と関わりの薄い人物が大統領候補に選出され、当選する確率が高くなっている。実際、ウォーターゲート事件以後に当選した大統領は、ジョージア州知事（ジミー・カーター）、カリフォルニア州知事（ロナルド・レーガン）、アーカンソー州知事（クリントン）、テキサス州知事（W・ブッシュ）と、州知事経験者が多くなっている。オバマは元上院議員ではあるが、オバマの売りになっていたのは、民主党の対立候補だったヒラリー・クリントンや、共和党候補となったジョン・マケインらと比べて、連邦政界に染まっていないことだった。カーター以降の大統領でワシントン政治の有力者といえるのは、国連大使、CIA長官、副大統領などの要職を歴任したジョージ・H・W・ブッシュだけである。

このようなワシントン政治の素人に対する期待が、政治経験の全くないトランプの大統領就任という形で極限に達したのが現在の状況であろう。

◆究極のインサイダーへの期待と弊害

2020年の大統領選挙について注目すべき点は、このようなワシントン政治の素人に対する期待が継続するかどうかである。

図表4や5を見ればわかるように、アメリカ政治に対する不信感は以前にも増して強く

なっている。この点を考えれば、ワシントンの政界に染まっていない人物に対する期待が強まるのも理解できるだろう。民主党の予備選挙を見ていても、清新なイメージのあるベト・オルークなどに対する支持が一定程度存在したのはその表れである（オルークは2019年11月に選挙戦から撤退）。また、バーニー・サンダースやエリザベス・ウォーレンに対する支持が強いのも、同様に解釈することができる。サンダースやウォーレンは上院議員であり、その意味ではワシントンのインサイダーだが、彼らが提唱する左派的な政策はワシントンの主流派の支持を決して得られるものではない。その点において、彼らはワシントン政治の素人に近い存在だといえるだろう。

他方、近年の政治不信の一因が、トランプ大統領にあることも間違いない事実である。連邦政界の常識を無視して禁じ手すら用いるトランプの手法が、アメリカ国民の政治に対する不信感を高めた可能性は十分にある。

ここで注目すべきは、民主党支持者の間でジョー・バイデン候補に対する待望論が存在することである。2019年4月の段階で、大統領選挙に出馬すると宣言する民主党候補は20名近くに達していた。その中で、各種世論調査によれば、民主党支持者が最も期待していた候補は、まだ立候補表明をしていなかったバイデンだった。バイデンは、1972

年から36年もの間上院議員を務め、司法委員長や外交委員長を歴任した。その後、オバマ政権の副大統領を8年間務めている。いわばバイデンは、ワシントン政界の究極のインサイダーとでもいうべき人物である。このような重鎮に対する期待が強まっているのは、ワシントン政治の素人に政治を委ねてきたことの弊害にアメリカ国民が気付き始めた表れだともいえるだろう。

2020年大統領選挙でアメリカ国民が選ぶのは、ワシントン政治の素人か、連邦政界の重鎮か。選挙の行方が注目される。

第2章 宗教に翻弄されるアメリカ

1．あらゆる分野に影響を持つ「宗教問題」

◆魔女狩りや禁酒法の国

大統領選挙が近くなると、日本でも、アメリカの宗教右派や福音派（エヴァンジェリカル）と呼ばれる人々が強い政治的影響力を持っているという報道がなされる。福音派とは、聖書の言葉は神の言葉だとして、それを一言一句信じる原理主義者の一部だと紹介される。そのような説明を聞いて、不思議な感覚を持った人もいるのではないだろうか。

日本では、特定の信仰を持たないと考えている人が多い。そのような人が聖書を読んでみると、そこにはモーゼの祈りによって海が分かれて道ができたとか、イエスに言われて釣りをしてみたら金貨が詰まった魚が釣れたとか、にわかには信じがたい記述が多く含まれている。科学技術先進国のアメリカで、そのようなことを一言一句信じている人が大きな政治的影響力を持っているのは、一体どういうことなのだろうか。

アメリカでは歴史的には魔女狩りや大覚醒、禁酒法など、宗教に起因する問題がしばしば発生していたが、それは過去の逸脱的な現象というわけではない。世界の科学をリードするアメリカの政治で、宗教問題が大きな位置を占めるのはなぜだろうか。

◆進化論をめぐる論争

宗教と科学技術の問題の相克を示す一例が、進化論をめぐる論争である。進化論は人間はサルから進化していったという考え方だと一般的には理解されており、日本でこの説に異を唱える人は少ないだろう。

だが、アメリカでこのダーウィンの進化論を信じる人は、国民の6割程度にすぎない（調査によってはもっと少ないこともある）。進化論を否定する根拠としてあげられるのは、旧約聖書の中の、人間はアダムとイブの子孫だという記述である。進化論の是非をめぐって20世紀初頭にモンキー裁判とも呼ばれる訴訟が行われた。これは、進化論を教えることが禁じられていたテネシー州のデイトンで、高校教師のジョン・スコープスが進化論を教えた廉《かど》で告発されて話題となった裁判である。アメリカを代表する大物法律専門家が聖書をめぐって論争を繰り広げた模様は、ラジオ中継されて大いに注目を集めた。

今日のアメリカでも進化論をめぐる議論は活発である。日本と違い教科書検定制度が存在しないため、教科書の内容は多様性に富んでいる。基礎教育を掌《つかさど》る学校区の長を選ぶ選挙では「私が当選すれば進化論について記した教科書を使わない」とか、「『進化論は一つの仮説にすぎず、その正しさが科学的に証明されているわけではない』と記したパンフレットを配布する」というような公約が掲げられることもある。進化論について記した教科書を利用している地域で、在宅教育（ホーム・スクーリング）を認めるよう運動する人々もいる。アメリカでは子どもに初等中等教育を受けさせることは義務だとされているが、子どもが学校に通わなければならないと定められているわけではないので、最低限の条件を満たしていれば自宅で教育を行うのも可能だからである。

アメリカでは、知的設計説（インテリジェント・デザイン説）と呼ばれる説が教えられている地域もある。生物の進化を考えると、科学では説明できないような複雑さが存在する。そのようなものを創造することのできる圧倒的な知性を持つ存在が生物や世界をつくり出したのだという説であり、この知性＝神であるとそれとなく仄《ほの》めかされている。

日本を含む多くの国では、科学教育と宗教は別個のものと位置づけるのが当然とされるが、アメリカではそうではないこともある。世界で最も進んだ科学教育が行われているアメリカで、このような議論が展開されている地域があるのは興味深い。

◆人工妊娠中絶をめぐる大論争

人工妊娠中絶をめぐる問題も信仰心に基づき大争点化する。篤《あつ》いキリスト教信仰を持つ人物が宗教的信念に基づいて、中絶手術を行った病院を爆破する事件がアメリカで何度か発生したと聞いてどう思うだろうか？　このような事件は最近では減少しているものの、2001年には中絶手術を行うクリニックが襲撃ないし封鎖された事件が795件あった。

人工妊娠中絶は、保守派とリベラル派による文化戦争の主要争点となっている。中絶容認派は女性の選択を重視するという意味でプロチョイス派（選択重視派）と呼ばれ、中絶反対派は胎児の生命を重視する観点からプロライフ派（生命重視派）と呼ばれる。中絶問題は、妊娠した人の身体に関する自己決定権をめぐる問題と位置づけることもできるので、アメリカのフェミニズム活動家の中でも中心的な争点とされた。他方、プロライフ派には宗教右派と呼ばれる保守派が多い。彼らは旧約聖書の創世記にある「産めよ、増えよ」という神の言葉や、モーゼの十戒の一つである「汝殺すなかれ」を、神が中絶を禁じた言葉と解しているのである。

アメリカの中絶問題の転機となったのは、1973年のロウ対ウェイド判決である。同判決は、妊娠を継続するか否かに関する決定を女性のプライヴァシー権に含まれると判示し、人工妊娠中絶を規制する法律の大部分を違憲無効とした。そして、妊娠期間を三つに分け、第1期は政府は中絶を禁止してはならず、第2期は政府は中絶を禁止してはならないが母体の健康のために合理的な範囲内で中絶方法を制限することができ、第3期には中絶を禁止することができると判断した。妊娠期間を三つに分けるこの枠組みは1992年の判決で覆されたものの、ロウ判決は女性に人工妊娠中絶の権利を認めた画期的判決と位置づけられている。

◆LGBTと同性婚が容認されるまで

LGBTの問題も大争点になっている。この問題を理解するには、性的指向と性自認という概念を知る必要がある。性的指向とは、恋愛感情や性的欲望がどこに向かうかを指す。男性の性的指向は女性に向かい、女性の性的指向は男性に向かうと想定されがちだが、生物学的な性別と性的指向が一致するとは限らない。LGBTのうちLGBは性的指向に関する問題であり、Lとは女性同性愛者、Gとは男性同性愛者（男性同性愛者と女性同性愛者の両方を指すこともある）、Bとは男性と女性の両方が性愛の対象者となる人のことである。

性自認とは、自分の性別をどのように認識しているかという問題である。自らの生物学的な意味での性別と異なる性自認を生きる人のことをトランスセクシュアル、他者から期待される性別の規範と異なる性自認を生きる人のことをトランスジェンダー、服装や化粧など容姿に関する「らしさ」の割り当てに抵抗する人のことをトランスヴェスタイトという。

旧約聖書の中に、ソドムという街が神の怒りに触れて焼き滅ぼされたとの記述がある。それは、ソドムで生殖を目的とするのではない、異性間以外の性行為が行われていたためだという解釈が一般的である。宗教右派はその記述を根拠に、神はＬＧＢＴを許容しないと主張し、同性愛行為を犯罪化するよう主張することが多い。

伝統的に軍では同性愛に対する嫌悪が強く、軍隊におけるＬＧＢＴの人々の地位をめぐる問題は大争点となってきた。軍隊には同性愛者の雇用を禁じる規定が長らく存在していたが、ビル・クリントン大統領は１９９３年に「聞くな、語るな」という方針を示した。軍当局が兵士の性的指向を尋ねるのを禁止する一方で、軍内部の同性愛者も自らの性的指向を公言したり行為に及んだりしない限り除隊されないというものである。そして、２０１１年にはバラク・オバマ大統領が「聞くな、語るな」の規定の撤廃を発表し、同性愛者も軍隊内部で自らの性的指向を公言することができるようになった。２０１５年には国防総省は性的指向を根拠とした雇用や昇進の差別を禁止すると定め、トランスジェンダーの人々にも入隊を認める決定を行った。

だが2017年、ドナルド・トランプ大統領が、トランスジェンダーの受け入れに伴う高額の医療費や混乱を引き受けられないとして、トランスジェンダーの入隊を認めない方針をツイッターで表明した。現在、米軍には数千人のトランスジェンダーがいると推定されており（調査により数字に大きなばらつきがあり、1万人を超えるという調査もある）、混乱を招いている。

LGBTの中でも同性婚を求める声は比較的強い。連邦制を採用するアメリカでは、州政府が婚姻問題を管轄しているため、1980年代以降、州や都市のレベルでドメスティック・パートナーシップやシビル・ユニオンという名称で、異性間の婚姻と類似した権利を同性カップルに認める動きが登場した。それに対し、同性婚反対派は、夫婦としての一組の男女間の結びつきのみを結婚とみなし、1996年、これに当てはまらないカップルには、連邦法上で夫婦に与えられる権利を認めないとする結婚防衛法を制定した。

21世紀に入ってから10年ほどの間、同性婚についての世論は反対派が6割弱、賛成派が4割弱という状況が続いていた。共和党支持者の中で反対派が強く、連邦議会を通して同性婚を認めさせるのは困難な状況にあったため、同性婚実現を目指す人々は訴訟戦術をとった。2003年にマサチューセッツ州最高裁判所が同性婚を禁止する州法を違憲とする判決を出したのを皮切りに、ドメスティック・パートナーシップやシビル・ユニオン、さらには同性婚を合法化する判決や州法が出されるようになった。

このような動きを受けて、2010年頃から世論調査でも同性婚支持者が反対派を上回るようになった。そして、連邦最高裁判所は、2013年には結婚防衛法に違憲判決を出し、2015年には同性婚を禁じる州法に対し違憲判決(オバーゲフェル判決)を出した。この結果、アメリカでも同性婚が容認されることとなった。

◆税・医療保険・環境保護も「宗教問題」

一般には宗教とは関連が薄いと思われがちな争点についても、宗教と関連づけて議論されることがある。税をめぐる問題はその一例である。

アメリカでは小さな政府の立場をとる人が相対的に多く、増税に対する反発が強い傾向にある。その根拠として、宗教をあげる人もいる。ユダヤ教やキリスト教では収入の1割を神の世界である教会に寄付することが推奨されることがある(10分の1税)。神に対する奉仕が1割であるにもかかわらず、地上の権力に10分の1より高い税を支払うのは許容できないという立場である。

医療保険制度改革に際しても、宗教問題がしばしば顔を出す。日本やカナダと異なり、アメリカでは国民皆医療保険が公的に制度化されていない。そのため、アメリカではしばしば国民皆医療保険制度の導入を目指す改革が試みられるが、反対派の中には、その根拠として人工妊娠中絶問題をあげる人がいる。医療保険の恩恵を受けるための条件として医療機関に中絶手術を強制しようとしているのではないかとの疑念が呈されたり、中絶やアフター・ピル処方などの避妊処置のための費用負担を加入者が強いられるのではないかとの懸念が示されたりして、そのような試みに反対する人々の活動が議論を複雑にしたのである。

環境危機や地球温暖化問題も宗教問題と位置づけられることがある。日本やヨーロッパでは、人間の活動が環境危機や地球温暖化の原因となっており、問題を解消するためには人々の行動を改めることが重要だと認識されるのが一般的である。だが、アメリカの宗教右派の中には、環境変化は神の大いなる意思による帰結であり、人間の努力によって地球環境を変化させることができるという「人間中心主義」の考え方は神の怒りを招くと批判する者がいる。また、環境災害は終末の接近の予兆であり、キリストの再臨を予示するものとして、むしろ好ましいと主張する者もいる。

◆宗教問題がアメリカの対外政策に影響を及ぼす

対外政策についても同様である。アメリカ政府の資金援助を受けている団体に対し、中絶手術の実施や中絶につながる行為（相談などを含む）や、家族計画に関する教育・啓発活動を禁じることが国内外を問わず求められることがある。

宗教右派の中にはイスラエル支援に積極的な人が多い。それは、キリストの再臨のためにはユダヤ人がパレスチナを支配する必要があるという、キリスト教シオニズムと呼ばれる考え方を背景にしている。中東問題に関し、アメリカはイスラエル寄りの立場をとることが多いとしてイスラエルロビーの影響力の強さが指摘されているが、そのような活動に賛同するキリスト教信者もいることが、アメリカのイスラエル寄りの政策を導いているのである。

◆宗教右派がトランプを支持するのはなぜか

以上のような状況を考えると、多くの疑問が生じるだろう。

アメリカではなぜ政治と宗教がこれほど密接な関係にあるのだろうか？

文化をめぐる論争がこれほどまでに対立している状況で、統治機構は問題にどのように対応しているのだろうか？

ちなみに、2016年大統領選挙以後の展開は、アメリカの宗教右派にとっては大きな試練だった。福音派は共和党の予備選挙で、キリスト教倫理を強調するベン・カーソンやテッド・クルーズを支持しており、様々な問題発言やスキャンダルを抱えるトランプを支持したくないと考えていた。だが、トランプが共和党候補となった後は、本選挙で、スキャンダルまみれのトランプに投票するか、それとも、人工妊娠中絶を女性の権利と位置づけ、同性婚を支持するヒラリー・クリントンに投票するかの選択を迫られた。そして、2016年大統領選挙では宗教右派の約8割がトランプに投票している。彼らのトランプ大統領に対する支持率は高いままであり続けており、2020年大統領選挙でもトランプは彼らの支持を頼みにしている。篤い信仰心を持つ宗教右派が、モラルをめぐり多くの問題を抱えているトランプに投票し、今日でもトランプを支持し続けているのはなぜだろうか？（ただし、2019年12月、福音派のビリー・グラハムが作った『クリスチャニティ・トゥデイ』誌が、トランプが「大いに不道徳」な行動をとっていると糾弾し、その罷免を求める論評を掲載して議論を巻き起こした。）

本章ではこれらの問いに対する回答を試みたい。

2. 政治と宗教

◆民主主義よりも宗教を？

宗教社会学の分野では「近代化が進展すれば宗教的争点は後景に退く」とするテーゼが長らく影響力を持っていた。この議論は西欧諸国の事例をモデルとして考えれば、ある時期まで確かに成立していた。他方、世界において最も近代化が進展しているアメリカでは宗教的な問題が争点となっていることから、アメリカはこのテーゼの例外的存在と位置づけられていた。だが、とりわけ冷戦終焉後に近代化が進展した世界の諸地域においても宗教問題が顕在化したことから、むしろ、西欧諸国の事例の方が例外的であり、アメリカの政治と宗教の関係は新たなモデルを提供しているとの議論もなされるようになっている。

アメリカで今日、宗教的争点が顕在化している一つの発端として、1960年代の価値変容に対する反発をあげることができる。60年代にはフェミニズム運動やニューレフトの運動が活発に展開されるようになった。フェミニズムは伝統的な性秩序、家族秩序に対する批判を意図していた。また、ニューレフトは広範にわたり、アメリカ社会の伝統的価値観を否定することを目指していた。このような動きに反発した人々がアメリカの伝統的価値観を尊重するよう主張し、その中でもキリスト教的価値観が強調されることになったのである。

だが、キリスト教的価値観、宗教的価値観を重視するのは保守派だけではない。アメリカでは、ヨーロッパにおける宗教的迫害から逃れてきた人々がアメリカをつくったという建国神話が強力なこともあり、人々が信仰を持つのは当然だという考え方がある。大統領選挙の際に、「あなたは以下のような属性を持つ人が大統領になることを支持しますか?」と問うタイプの世論調査が行われる。そこでは、黒人、女性、ユダヤ教徒、イスラム教徒などについて回答を求められるが、その調査で一貫しているのは、無神論者に投票したくないという人の割合が、他のいずれの項目と比べても高いことである。

興味深いのは、世論調査で「国民の意思よりも聖書の方がアメリカの法律に影響力を持つべきだ」という選択肢に賛同した割合はアメリカ国民全体で32％、福音派の間では60％にも及んだことである。アメリカは民主主義の権化であるかのように自己規定することがあるが、民主主義の原則よりも宗教的価値に基づく政治を支持する人がそれなりにいるというのは驚くべきことである。

◆アメリカにおける政教分離の実態

先の世論調査のデータを見ると、アメリカにおける政教分離は一体どうなっているのかとの疑問を持つ人もいるだろう。アメリカでは、日本の政教分離原則に照らすと問題になるようなことが散見される。例えば、米ドル紙幣を見ると「我々は神を信じる」という記載がある。大統領は聖書に手を置いて就任式を行っている。政治家は演説後に「神のご加護あれ」と発言している。このようなことは日本では決して考えられない。

だが、アメリカの政教分離の考え方では、これらは問題にならない。アメリカで政教分離原則を定めているのは合衆国憲法修正第1条だが、それは「連邦議会は、国教を樹立し、あるいは信教上の自由な実践を禁止する法律を制定してはならない」という規定になっている。この第1条の前半部分は公定教会の設立を否定している。例えばイギリスでは英国国教会が、ドイツではルター派が特別な位置づけを与えられて、一部の活動に税金が投入されているが、そのようなことをしてはならないというのがアメリカの政教分離の一つの原則である。

また、第1条の後半を見れば、例えば連邦議会が「政治家は演説の際に神に言及してはならない」という法律を制定するようなことがあれば、合衆国憲法に違反することになる。

同じく政教分離といっても、その内実は国によって大きく異なるのである。例えば、フランスのライシテと呼ばれる政教分離原則は、公的空間から宗教色を一切排除することを目指している。フランスでイスラム教徒のブルカの着用などが政治争点化するのは、公共の場で特定の宗教と結びつきの強い服装をするのが適切ではないと考えられているからである。これに対し、アメリカの政教分離原則は、宗教を連邦の政治から切り離すことによって、より純粋な宗教的実践が可能になるという発想を根本にしている。

その背景には、建国期のアメリカの政治と宗教の関係がある。植民地時代のアメリカでは、マサチューセッツ植民地はピューリタンの政治的影響力が圧倒的に強かった。メリーランドはフランスからの入植者がつくった植民地であり、カソリックの原則に基づく統治が行われていた。ペンシルヴァニア植民地のペンシルヴァニアとは、もともとは「ペンの森」を意味し、マサチューセッツ植民地を追い出されたクエーカーのウィリアム・ペンが自らの自由な信仰を妨げられないようにするために創設したものだった。

このように、建国期には、元は植民地だった各州が特定の宗教と強い結びつきを持っており、それを連邦政府によって否定されることを回避することが目指されたのである。

もっとも、今日では修正第1条の原則は連邦政府のみならず州政府にも適用されるようになっており、州政府も州の公定宗教を設定することはできなくなっている。むしろ、信仰は各自の自由な活動に委ねられるべきであり、そのための空間をつくり出すことがアメリカ的だとの考えが強くなっているのである。

◆政治への介入を進める「福音派」の存在

福音派はアメリカの南部に多く、神と霊的に交わるという回心体験を重視していて、プロテスタントで独特の位置を占めている。

アメリカのプロテスタントの主流派は、隣人愛や慈善活動を重視している。だが、アメリカで最も助けを必要とする人は黒人なので、隣人愛や慈善活動を実践しようとすると人種問題に直面することになる。奴隷制の問題を抱えていた南部ではとりわけ、この問題は顕著となる。

そこで南部では、隣人などに気を回すよりも個人に特化し、自らの信仰を深めようとする考え方が有力になっていった。その際には、神と霊的に交わることによって真面目なキリスト教徒として生まれ変わる（ボーン・アゲイン）という回心体験が重視された。そして、聖書に書かれているのは一言一句神の言葉であり真実なので、それを厳格に守ることによって自らの信仰の純正さを神に訴えようとするタイプの信仰スタイルが発達した。このような原理主義的な解釈をする人のうち、政治問題にも強い関心を示す人々のことを福音派と呼ぶことが多い。

そのような福音派は、例えば旧約聖書の「汝殺すなかれ」という言葉を厳格に守るために人工妊娠中絶を法律や判例によって禁止しようとするのだが、その試みは、いわば政治に宗教を取り戻そうとするものである。この考え方は、宗教を政治から切り離すことでその純粋性を守ろうとする、もともとのアメリカ的な政教分離の考え方と反する面を持っている。

そして、彼らは信仰上の目的を達成するために、他の宗派と戦略的な提携関係を結ぶこともある。例えば、人工妊娠中絶禁止に向けてカソリックと協力関係を築いたり、イスラエルを支援するためにユダヤ教徒と協力したりすることがある。

3. 裁判所の政治的性格

◆統治機構としての裁判所

日本では、裁判所は政治的な争いから距離を置き、中立の立場で正義を実現する機関という認識が強い。日本の裁判所は政治的見解が分かれる問題については判断を避ける傾向が強い。だが、アメリカの場合は、多様な見解があって議会で決定することが困難な争点についてこそ、裁判所が判断する必要があると考えられている。アメリカでは裁判所が統治機構の一つとして位置づけられており、政治的役割を果たすのが当然だと考えられている。

法律には意味が不明確な場合があったり、または同じ法律であっても州によって解釈の異なる場合がある。もし日本でそのようなことが起こりそうになると、役人がその解釈を統一するだろう。だが、アメリカの場合は、その役割は裁判所に期待されている。

その他にも、アメリカでは、少数派の利益関心を実現する観点から、裁判所が大きな役割を果たすべきだという考え方がある。議会では多数決原理に基づいて決定がなされるため、少数派の利益関心は実現されにくい。そこで、彼らは自分たちにとって死活的な問題について裁判所に訴える。裁判所が彼らの趣旨に沿った判決を下すと、彼らの要求は正当な権利として位置づけられることになる。これは、社会的多様性が高く、恒常的な少数派が登場する可能性がある国ではとりわけ重要な意味を持つ。

さらに、先ほど指摘したように、アメリカでは政治的見解の分かれる争点について、連邦議会で決着をつけることができないため、裁判所で判断してもらおうという考えが強い。人工妊娠中絶や同性婚の是非、銃規制など、人々のライフスタイルやモラルと関わりの深い社会問題は、1980年代以降、時に「文化戦争」と呼ばれるほどまでに、リベラル派と保守派の間で対立が顕著になっており、裁判所は文化戦争の主戦場と位置づけられている。

◆判事の任命方式

裁判所の政治的性格の強さは、判事の任命方式の違いにも表れている。日本の場合、最高裁判所の判事は内閣の指名に基づいて任命され、その後最初に行われる衆議院議員選挙に付随して行われる国民審査を受けることになっている。その他の裁判官については、資格任用制に基づいて任命されており、政治色はないと一般に考えられている。

これに対し、アメリカの場合は、州レベルでも連邦レベルでも、裁判所の判事は政治的に任命されている。州の場合、多くの判事は選挙で選ばれるか、知事によって任命される。かつて、ロイ・ムーアという人物は、当選すれば州の裁判所の中にモーゼの十戒の石碑を建てると公約し、アラバマ州最高裁判所首席判事に当選した。これは日本では起こり得ない現象だといえるだろう。

連邦の裁判所の判事は、大統領が指名し、連邦議会上院の司法委員会でその適性が検討され、最終的に連邦議会上院の過半数の承認を経て任命される。このプロセスは9名の判事からなる連邦最高裁判所だけでなく、第1審を判定する連邦地方裁判所、第2審を扱う巡回控訴裁判所の判事についても同じだが、連邦最高裁判事の任命はとりわけ多くの論争を巻き起こす。連邦の判事の任期は終身であり、自分から辞めるか死亡しない限りは、ずっと仕事を続けることが可能である。大統領の任期は、通例4年か8年であるから、大統領よりも連邦裁判所判事の方が長期的に影響を及ぼす可能性が高い。

◆連邦最高裁判事の任命問題

2016年には、連邦最高裁判所判事の承認問題が発生した。同年2月に保守派のアントニン・スカリア判事が死去したのに伴い、当時のオバマ大統領はメリック・ガーランドをその後任に指名した。だが、当時の上院で多数を握っていた共和党は、公聴会を開くことすら拒否した。その結果、翌年2月に新任のトランプ大統領が保守派のニール・ゴーサッチを指名し、共和党が多数を占める上院が承認するまで、ほぼ1年間、連邦最高裁判所判事に欠員が生じるという異常事態となった。ガーランドが就任すればリベラル派判事が5名となり多数となることから、そのような事態を避けたい保守派がオバマによる指名を無視したことによるものだった。その結果、9人からなる連邦最高裁判所判事の構成は保守派4名、リベラル派4名、保守寄り中道派1名のまま継続された。

トランプ大統領は2018年7月、引退を表明した中道派のアンソニー・ケネディ連邦最高裁判所判事の後任に、ワシントンD.C.の連邦控訴裁判所判事のブレット・カバノーを指名すると発表した。カバノーについては高校時代に性的暴行の加害者だったのではないかとの疑惑が生じたものの、10月には連邦議会上院は賛成50、反対48と僅差で承認した。その結果、連邦最高裁判所判事の構成は保守派5名、リベラル派4名に変化した。

連邦最高裁判所判事の中で中間的立場に立つことになるのが、ジョン・ロバーツ長官である。彼はこれまで、保守・リベラルが対立する争点では一貫して保守的な評決を下してきた。もっとも、ロバーツは最高裁判所の正統性を保つためにも判例をことごとく覆すのは好ましくないと考えているといわれ、今後は論争的かつ世論が判例の変更に強い賛意を示さない争点を取り上げないようにするのではないかとの予測もある。

◆判例変更を目指す動き

だが、判例を変更して現状を変革したいと考える人々は、連邦最高裁判所が論争的な争点を取り上げざるを得ない状況をつくり出そうと試みるのではないかと予想されている。例えば、連邦最高裁判所が出した判例を覆す判決を、州最高裁判所が出し続ければ、連邦最高裁判所もその事件を取り上げざるを得なくなる。このようになれば、ロバーツを含む保守派判事5名の判断に基づいて、判例が変更される事態になると予想される。

以後、人工妊娠中絶、同性婚などの重要争点について判例が変更される可能性がある。例えば人工妊娠中絶については、州レベルにおいて、中絶手術を行う前に待機期間を設けて様々な立場の人の意見を聞く機会を持たなければならないという法律を定めてみたり、中絶手術を実施するためには保護者や父親の同意を要すると定めてみたり、妊娠初期の中絶を禁止する法律を定めてみたりして、中絶の実施を困難にしようとしている。

先ほど指摘したように、州裁判所の判事も政治任用されることが多いため、連邦のロウ判決に反する判例を出す可能性がある。そうすると、連邦最高裁判所もその事例を取り上げざるを得なくなるだろう。２０１６年大統領選挙の際、トランプはロウ判決の撤回を目指すと公言していた。もし連邦最高裁判所が中絶問題を取り上げれば、ロウ判決が覆されるだろうと保守派は色めき立っているし、リベラル派は危機感を募らせている。

同性婚については、それに反対の立場をとる写真家やビデオ撮影者が仕事を拒否することができるかなどをめぐって、様々な訴訟が提起されている。なお、公共宗教研究所による調査では、アメリカ人のおよそ6割が、中小企業の経営者の宗教的信念に反する場合でも同性愛者に製品やサーヴィスの提供を拒むことに反対している。構成員の多数がそれを許容すべきだという立場を示しているのは、白人の福音派のプロテスタントとモルモン教徒だけである。中絶問題と比べれば同性婚に対する保守派の反発は弱いものの、同性婚を違憲にしようとする試みもなされるだろう。他の論争的争点についても同様である。

このように人工妊娠中絶が禁止され、2015年に認められたばかりの同性婚が否定され、銃規制や環境保護規制が緩和されるというような、世界的な傾向に逆行する判決をアメリカの連邦最高裁判所が出すという衝撃的な展開が見られる可能性がある。以後の連邦最高裁判所の動向に注目する必要があるだろう。

◆宗教右派がトランプを支持した理由

先述したように、連邦の判事の任期は終身であり、自分から辞めるか死亡しない限りは、ずっと仕事を続けることが可能である。大統領の任期は、通例4年か8年であるから、大統領よりも連邦裁判所判事の方が長期的に政治や社会に影響を及ぼす可能性が高い。そして、実は、このことが2016年大統領選挙でトランプが勝利した背景にある。

社会で争点となっている問題の行方に強い関心を持つ人々の中には、どのような人物を連邦裁判所の判事に任命しそうかを考えて大統領選挙の投票先を決める人がいる。トランプは、当選した場合に連邦裁判所判事に指名する人物のリストを事前に提示していた。このリストは、フェデラリスト協会という保守派団体が準備したもので、社会的争点について保守的な立場を示す人物が列挙されていた。ゴーサッチ、カバノーも、そのリストに含まれていた。その結果、共和党支持者の中にトランプのことを快く思っていないにもかかわらず、それらの判事を指名させるために、トランプに投票する人が登場した。この点を考えると、トランプ現象を単純にポピュリズムと呼ぶのが適切でないことがわかるだろう。

２０２０年の大統領選挙は保守派、リベラル派の双方にとって重要な意味を持つ。ルース・ベーダー・ギンズバーグのように高齢な判事がいるため、その交代が起こる可能性があるためである。ギンズバーグは『ビリーブ』や『ＲＢＧ』などの映画が立て続けに作られて、リベラル派のアイコンとなっている。ギンズバーグの健康状態に不安があることもあり、この問題が重要になっている。

◆政党政治との関係

共和党にとって宗教右派の存在は両義的である。一方では、情熱を持って政治活動を行う宗教右派の存在は、選挙の際の動員を考えると貴重である。宗教右派によって「最も倫理的に優れた大統領」と称されることもあるジョージ・Ｗ・ブッシュの２００４年大統領選挙での再選、2016年大統領選挙でのトランプ勝利は、宗教右派の存在なくしては不可能だっただろう。

他方、厳格に宗教的価値を追求し、しばしば非妥協的な態度をとる宗教右派の存在は、共和党を混乱に導くことがある。党指導部が民主党と妥協的な政策をとろうとした場合でも、それが宗教と関わりのある側面を持つ場合、宗教右派は妥協しないだろう。また、宗教右派が重視する中絶や進化論教育などの問題を重視しない、あるいは、宗教右派のスタンスに反発を感じる人々は、他の争点について共和党に似たスタンスをとっている場合でも、共和党に投票しなくなる可能性もある。

民主党にとっては、宗教右派に反発するジェンダーやLGBTの活動家も両義的な存在だといえる。ジェンダーやLGBT活動家はアイデンティティの問題を重視する傾向が強い。第3章でも述べるように、アイデンティティの問題は、純粋な意味での経済的争点と比べて妥協が困難である。アイデンティティ・ポリティクスを展開する人々の存在は、民主党の選挙運動などを活性化する可能性がある。他方、ジェンダーやLGBTの問題を追求しすぎることは、それらの問題に関心を持たない、あるいは、それらの価値の推進について賛同しない人々を民主党から離反させる可能性がある（アイデンティティ・ポリティクスについて詳しくは第3章参照）。ジェンダーやＬＧＢＴの問題をめぐり運動が活性化しすぎると、それらに不満を持つ人々が共和党に投票するかもしれず、となるとそれはトランプや共和党にとっては思うつぼであろう。

２０２０年大統領選挙や中間選挙でこれらの問題がどのように展開されるか、注目に値するといえよう。

第3章 多民族国家アメリカ

1. トランプを支持した「声を奪われた白人」

◆トランプの岩盤支持層——白人労働者層

2016年大統領選挙における共和党のドナルド・トランプの勝利は、世界に衝撃を与えた。「メキシコからやってくる移民は麻薬密売人や強姦魔だ」という発言に代表されるように、トランプは数々の問題発言を繰り返していたからである。そして、トランプの問題発言は大統領就任後も続いている。2020年大統領選挙で民主党候補となることを目指しているエリザベス・ウォーレンは、ネイティヴ・アメリカンの血筋をひいていることを売りの一つとしていた。そのウォーレンに対してトランプは、植民地時代にジェイムズタウンに住んでいたポウハタン族の女性の名をとって「ポカホンタス」と呼び続けている。

このような発言は、「移民の国」とも称されるアメリカにおいては、「政治的に正しくない」ものと考えられている。アメリカは建国期から一貫して多様な人々を受け入れてきた多民族国家である。ただし、奴隷制が採用されていたこともあり、南部諸州を中心に黒人

強気のトランプ大統領。白人労働者層が中核的支持者である

に対する人種差別は激しかった。また、アメリカにやってきた移民に対する差別も時に強かった。1950年代に始まった公民権運動は、このような人種や民族に対する差別の撤廃を目的としていた。公民権運動の精神はその後も引き継がれ、人種、エスニシティ、ジェンダーなどの点でマイノリティと位置づけられる人々の権利や尊厳を尊重すべきだという規範が共有されるようになってきた。

だが、トランプは、この「政治的な正しさ」（ポリティカル・コレクトネス。「PC」）という規範を無視し続けている。もちろん、トランプに対して強い反発を示すアメリカ国民は多い。だが、2016年大統領選挙でトランプに投票した人々の多くは、今でもトランプを支持し続けている。その中核的支持者が、白人労働者層である。製造業に従事していた彼らは、第二次世界大戦後のアメリカの経済繁栄を支えていた。伝統的に白人が多かったアメリカでは、彼らは政治、経済、社会のいずれの領域においても、その中核を担う存在だと自負していた。

だが、近年では中南米やアジアからの移民が増大しており、2040年代のいずれかの段階で中南米系を除く白人は人口の半数を下回るようになると予想されている。2010年の人口統計調査によれば、新生児の数については既に半数を下回っている。そして、近年の産業構造の変化とオートメーション化の進展により、製造業に従事していた彼らの社会経済的地位は低下している。かつて彼らは労働組合を基盤として民主党陣営に組み込まれていたが、労働組合の弱体化もあり、政治的にも代表されなくなっている。トランプはこの現状に不満を持つ白人労働者層を支持基盤として取り込んだのであり、白人労働者層も「アメリカを再び偉大にする」との懐古的なスローガンを掲げるトランプを支持したのだった。

このように、アメリカ政治を理解する上では、多民族社会の実情を知る必要がある。本章では、移民問題、人種問題、ネイティヴ・アメリカンの問題、そして白人労働者層とアイデンティティ・ポリティクスの問題について説明することにしたい。

2. 移民の国アメリカ

◆多様性と統合の両立を目指す

歴史的にアメリカは、数多くの移民を受け入れてきた。多民族・多宗教国家として誕生したアメリカは、それぞれの人種・民族的文化の多様性を尊重するとともに、社会全体としての統合も維持するという困難な課題に取り組んできた。国璽《こくじ》（国家の印章）などに刻印されている“E Publius Unum”という表現は「多から成る一」という意味のラテン語であり、様々な移民を受け入れる多民族国家としての理想を表現している。他方、人種的・民族的差別が行われており、社会経済的格差が人種・民族ごとに厳然として存在するのも事実である。

しばしば「移民の国」と称されるアメリカには、「ヨーロッパの君主制や宗教的迫害から逃れてきた移民が建国した国」だという神話が存在する。ただし、この神話には留意すべき点が少なくとも二つある。

一つは、一般的な用語では、君主制や宗教的迫害から逃れてきた人々は難民と呼ばれ、自発的意思に基づいて移住してきた移民とは区別されていることである。アメリカ国民の典型例として想定されているのは実は難民であることも多く、それがアメリカが他国と比べて多くの難民を受け入れていることの背景にある。近年では年間7万~8万人を受け入れることが多かったが、トランプ大統領は2018年度の受け入れの上限を4万5000人とすると宣言するなど、難民受け入れを制限する方針を明確にしている。なお、難民受け入れには人道的意味合いだけでなく政治的意味合いも含まれる。ある国から難民を受け入れるということは、その国が道義的に好ましくないと宣言することを暗に含んでいるため、戦略的重要性を持つ国や経済関係が深い国などから難民を受け入れるのは困難になる。

◆合法移民と不法移民の問題

留意すべきもう一つの点は、実はアメリカの骨格をつくったのは、「WASP」(白人でアングロサクソンのプロテスタント)の入植者だということである。建国者たちが独立宣言や合衆国憲法で宣言した自由や平等などの価値が、アメリカ的信条と呼ばれるほどまでにアメリカ社会に定着したのである。この点を考えれば、アメリカにとって移民は両義的な存在であることがわかる。一方では、アメリカへの移住を志す移民はアメリカの理念に憧れてやってきたと考えることも可能であるため、アメリカの理念の素晴らしさを体現する存在といえよう。他方では、アメリカ的価値観の基盤を掘り崩す危険性を秘める存在でもある。この点を考えれば、移民政策として、どのような移民を、どの程度の数受け入れるかが重要となる。

今日、アメリカは毎年平均して70万人程度の合法移民を受け入れている。それに加えて、現在では1100万人ほどの不法移民が国内に居住している。このうち、合法移民を一定程度受け入れることについては、アメリカ国内でもコンセンサスがある。もちろん、その数が多すぎるのではないかとか、受け入れの基準としてアメリカ国内に居住する人との血縁を重視すべきか、できるだけ多様な移民を受け入れるべきか（実際に多様性を確保するための抽選プログラムが存在する）、それとも入国希望者が持つ技能を重視して受け入れを決定すべきかなどについては論争がある。だが、一定数の移民を受け入れるのは当然とされていて、そもそも移民を受け入れるべきかどうかが大争点となる日本とは前提が違っている。

アメリカで、政治的に大争点となっているのは、むしろ不法移民の処遇である。不法越境したりオーバーステイしたりして違法に居住し続けている人々をそのまま放置することには問題があると考えられる一方で、例えば、子どもの時に親に連れてこられてからアメリカ国内に居住し続けているような人（彼らは「ドリーマー」と呼ばれる）に不法滞在の責任を問うことの妥当性については議論が分かれる（第1章参照）。そもそも、1100万人も存在する不法移民を全て強制送還するのは現実的に困難である。

◆移民問題と政党政治

このような状況で、不法滞在者の処遇をめぐって論争が展開されているが、注意すべきは、不法移民対策についての賛否は本来は党派を横断して存在するということである。民主党支持者のうち、不法滞在中の近親者や知人を持つ人々が不法移民に寛大な態度をとる一方で、不法移民は安い賃金で働き労働賃金を下げる可能性が高いことから、労働組合は伝統的には不法移民に厳格な態度をとってきた。他方、共和党内では、トランプの岩盤支持層は厳格な不法移民対策を求めるが、労働賃金を下げたいと考える企業経営者層は不法移民に寛大な態度をとるのである。2016年大統領選挙以後、移民・不法移民問題について共和党が厳格で、民主党が寛大な態度をとっているのはトランプによる影響が大きい。この傾向が10年後も続くと想定すべきでないだろう。

このような状態で何らかの移民改革を実現するためには、党派を超えた呉越同舟的連合を形成する必要がある。具体的には、一定数の不法移民に合法的に滞在するための許可を与えることと、以後の出入国管理を厳格化することの抱き合わせ策が法制化可能な組み合わせだと考えられてきた。ここでいう合法的滞在許可には様々な形態があり得て、市民権付与まで想定されるのは稀だが、永住権を与えるべきか短期的な労働許可のみを与えるべきか、労働許可はどの程度まで更新可能にすべきかなどについて立場が分かれている。

ロナルド・レーガン政権（1981～89年）以後、このような方針に基づき、幾度となく移民改革法案が提出されてきた。だが、トランプ政権は議会を通した立法ではなく大統領令で出入国管理の厳格化を進めてきた。その結果として、今日のアメリカでは上記のような移民改革法案（包括的移民改革法案と呼ばれることが多い）の実現の可能性は狭まっている。

◆中南米系の特殊性？

先にも指摘した通り、トランプは中南米系移民に批判的な発言を繰り返し、アメリカ＝メキシコ国境地帯に壁を建設すると宣言している。トランプの発言が注目を集めた背景には、人口動態の変化がある。中南米系の数は2011年段階で人口の17％と既に黒人（12％）を上回っており、2050年までに人口の3割に達すると予想されている。

中南米系移民が争点となるのは、数が多いことに加えて、彼らには従来の移民と違う特徴があると考える人が多いからである。

中南米とアメリカは地理的に近接していることもあり、中南米系には出稼ぎ感覚で来ている移民も多い。外貨獲得を目指す中南米諸国がアメリカに行った移民に二重国籍取得を促してつながりを確保しようとしていることもあり、中南米系はアメリカに対して十分な忠誠心を持っていないと考える人もいる。また、アメリカでは国籍について出生地主義原則が採用されているため、不法滞在中の人の子どもであっても、国内で生まれた者には国籍が付与される。そのようにして国籍を取得した子どもが21歳になれば家族を呼び寄せるのが容易になるため、不法移民がこの制度を活用しようとしているのではないかとも批判されている。中南米系が白人労働者層の職を奪っているとか、社会福祉政策を悪用していると主張する人もいる。また、アメリカで流通している麻薬の多くがメキシコから流入していることもあり、中南米系移民が犯罪率を押し上げているという議論もなされている。

実際には、中南米系移民に対する批判は妥当でないところが多い。歴史的に見て、出稼ぎ感覚で移民してきた人は常に存在したし、移民の子どもが出生地主義原則に基づいて国籍を取得するのも当然だった。白人労働者層の仕事が減少している主な原因は、産業構造の変化と機械化である。移民は基本的に公的扶助を受給することができず、年金を受給するには10年間の社会保障税の納入が必要なため、社会福祉制度に大きな負荷をかけていない。むしろ、不法移民は社会保障税を納入しているが年金を受給しないので、年金財政に貢献しているともいえる。移民の犯罪率は標準的なアメリカ人と比べて低く、麻薬を持ち込む人はごくわずかである。

このように、実態とイメージの間には大きなギャップが存在する。だが、上述のようによくないイメージを中南米系に対して抱く人々が多い以上、トランプ的な発言が支持される可能性がある。誤解や偏見に基づいて、例えば福祉受給資格の厳格化や犯罪対策強化などの政策が打ち出される結果、様々な領域において政策的合理性が損なわれつつあるのである。

3．黒人問題から見るアメリカ

◆「血の一滴ルール」

多人種・多民族国家アメリカにおいて、黒人は他の人種集団とは異なる位置づけがなされている。アメリカにもともと居住していた先住民や自発的意思に基づいてやってきた移民とは違い、黒人の多くはその祖先が強制的にアメリカに連れてこられ、差別されてきた歴史がある。もちろん、人種差別は南北戦争後の奴隷解放や1950年代以降の公民権運動などによって克服されてきたが、依然として黒人に対する差別は残っている。

アメリカの黒人についてしばしば用いられる表現に、「血の一滴ルール」と呼ばれるものがある。祖先に一人でも黒人がいて、黒人の血が少しでも混じっている場合は、その人は黒人、アフリカ系アメリカ人とみなすという考え方のことである。かつてゴルファーのタイガー・ウッズが颯爽と登場した際、アメリカのメディアは、比較的富裕な人々の間で行われるスポーツであるゴルフの世界で「アフリカ系」アメリカ人が成功を収めたことは、アメリカの人種関係が大幅に改善された証拠だと報道した。だが、ウッズの祖先には、アフリカ系のみならず、ヨーロッパ系、ネイティヴ・アメリカン、アジア系など多様な民族的集団に属する人物がいる。それらの属性を無視してウッズを「アフリカ系」と他人が評するのは、おかしいはずである。

もし白い肌の人物がいて、その祖先にイギリス系、オランダ系、ドイツ系がいる場合、その人物を他人が勝手にオランダ系と呼ぶことは通例想定されないだろう。このような相違に注意することなく、無意識のうちに黒人に対して異なった扱いをしてしまうこと自体が、今日のアメリカにも人種差別が残っている証拠だということができる。

◆公民権運動の理念と黒人の独自性――アメリカの夢か悪夢か

黒人の中でも、アメリカ社会におけるあるべき位置づけについて、様々な立場が存在する。大きく分ければ、白人を中心とする「標準的」アメリカ人と同様の地位を求めるか、独自の存在としての位置づけを求めるかをめぐって対立が存在するのである。

公民権運動の系譜は、前者の白人らと同様の地位を求める立場ということができる。マーティン・ルーサー・キング牧師は公民権運動のクライマックスともいえる演説で、

「私には夢がある。それは、アメリカの夢に深く根ざした夢である」「私には夢がある。それは、いつの日か、私の4人の幼い子どもたちが、肌の色によってではなく、人格そのものによって評価される国に住むという夢である」と述べ、肌の色や人種には関わりなく、アメリカ国民として平等な扱いをするよう求めた。キングが抱く夢は、白人が抱くものと同じ、アメリカン・ドリームだった。また、『マイ・ドリーム――バラク・オバマ自伝』（ダイヤモンド社、2007年）というオバマの著書の原題は『Dreams from My Father（父親からの夢）』であり、オバマの立場も公民権運動と同じ流れに属するといえるだろう。公民権運動の理念に対するコンセンサスは高いといえる。

これに対して、人種・民族別の相違を明確化し強調すべきだとの立場も存在する。一つには、初期のマルコムXに代表されるような、ブラックパワー運動の立場がある。マルコムXは、黒人がアメリカに対して持っているのは夢ではなく悪夢だと宣言した。彼らは、アメリカでも一見中立的に見える諸制度が実は白人に有利なようにできていると主張し、黒人がアメリカ社会から分離独立することも辞さないとの立場をとった。

◆積極的差別是正措置とは

また、積極的差別是正措置も、人種・民族別に異なる扱いを要求する立場と一般に考えられている。リンドン・ジョンソン大統領（1963〜69年在任）が最初に積極的差別是正措置を提唱した際には教育制度の拡充なども念頭に置かれていたが、今日では積極的差別是正措置といえば、例えば役員の1割を黒人にすると定めるというように人種別の割り当てを定めるクオータ制や、入試などで合否のボーダー上に黒人と白人がいる場合に黒人を優先するというようなプラス評価制が想起されるだろう。これらの措置は、個人としての能力に注目するというよりも、黒人と白人を区別し、カテゴリー別の措置をとることを求める点が特徴となっている。

なお、積極的差別是正措置の目的も、時代に応じて変化している。当初は「過去の差別に対する補償」が目的とされていたのに対し、今日では「社会的代表性の確保」が目的とされることも増えており、その対象が黒人だけでなく女性や様々なエスニック集団に拡大しているのである。だが、「過去の差別に対する補償」と「社会的代表性の確保」という目的は対立する場合がある。例えば代表性を確保するためには黒人の中でもアフリカなどから移民として入国した人々を取り込めばよいということになってしまうが、彼らは出身国ではむしろエリートに属する人々である。グローバルな次元での人種差別という形で次元を拡大しない限り、「過去の差別に対する補償」という理由で彼らへの優遇措置を正当化するのは困難だろう。

◆多文化主義

さらに、多文化主義をめぐる議論も、人種や民族の差異を強調する立場ということができる。多文化主義は、人種や民族の多様性を認め、マイノリティがその特有のアイデンティティや慣行を維持・表明することを公的に認めようとする立場である。多文化主義はカナダやオーストラリアでは国是として掲げられており、人種的・民族的多様性を保ちつつも国家の統合を保持するものと考えられている。

だが、アメリカにおいては、多文化主義は人種的・民族的差異を強調することによって国家を分裂させる立場と考えられることも多い。歴史家のアーサー・シュレジンガーJr.が記した『アメリカの分裂』（岩波書店、1992年）、政治学者のサミュエル・ハンティントンが記した『分断されるアメリカ』（集英社文庫、2017年）はともに、多文化主義を強調することによってアメリカが分断状態となることに警鐘を鳴らすことを目的としていたのである。

このように、今日のアメリカにおいても、黒人の位置づけ、主流社会との関係について様々な議論が展開されていることに注意する必要があるだろう。

◆人種的プロファイリングと「ブラック・ライヴズ・マター」

今日のアメリカで黒人が未だ差別されているのではないかと疑われるのが、刑事司法の領域である。アメリカの囚人数は他の先進国と比べて突出して多いが、その中でも黒人、とりわけ黒人男性の収監数は非常に多い。アメリカの収監者数が最多となった2008年のデータを見ると、黒人男性の収監者数は住民10万人当たり3161人で、白人の比率の6・5倍だった。

黒人の刑務所収容人口比率が高い理由については、様々な仮説が考えられる。一つには、罪を犯す黒人が実際に多いという仮説が考えられる。

二つ目として、黒人が多く居住する地域における法執行機関の取り締まりが他地域と比べて厳格になっている可能性がある。この人種的プロファイリングと呼ばれる現象についても、警察官個人の人種差別意識が反映されている場合もあれば、過去に黒人地域の犯罪率が高かったことを根拠としてその地域により多くの警察力が投下される結果、さらに多くの犯罪が発見されてしまうという場合もある。後者の場合は取り締まりを行う警察官自身に差別意識はないとしても、より構造的な差別を反映しているといえる。

三つ目に、司法の次元で人種差別的な判決が下される結果として、黒人の収監者数が多くなっている可能性もある。これらの仮説を正確に証明するのは困難なこともあり、様々な議論が展開されるのである。

今日、警察による取り締まりのあり方をめぐって「ブラック・ライヴズ・マター」(黒人の命は重要だ)と呼ばれる社会運動が発生している。黒人人口の多い都市を中心に、白人警察官によって手荒な取り締まりを受けた黒人が死亡する事件が何度も起こり、さらにはその取り締まりを行った警察官が司法によって罪に問われない場合もあったためである。もっとも、その動きに対し、白人警察官に非はないとする立場の人々は警察官の制服の青色を念頭に置いて「ブルー・ライヴズ・マター」(警察官の命も重要だ)とか、「オール・ライヴズ・マター」(全ての人の命が重要だ)と称する動きを展開し始めるなど、人種的分断が顕在化するようになっている。

アメリカでは州によって収監中の重罪犯や、元重罪犯は投票権を剥奪される場合があることもあり、この問題は多くの議論を生み出している。法律の規定が変われば人種差別の問題がなくなるわけではないのである。

4. ネイティヴ・アメリカンの問題

◆基本的特徴

ネイティヴ・アメリカンはアメリカ合衆国建国のはるか前から共同体をつくり、独自の文明を持っていた。だが、アンドリュー・ジャクソン政権期（1829〜37年）のインディアン強制移住法（1830年）などにより移住を強いられたこともあり、現在では辺境の地に追いやられている。また、部族が共有していた土地を細分化して個人所有者に割り当てることを定めた1887年のドーズ法などによって土地が切り刻まれ、土地を売り払う先住民が増えたことにより、先住民の領土は減少した。

そのような経緯もあり、ネイティヴ・アメリカンはアメリカのマイノリティの中でも独特の位置にある。例えば、公民権運動を展開した黒人や移民がアメリカの主流社会への同化を目指すことが多いのに対し、ネイティヴ・アメリカンは自分たちの文化を維持していくこと、その基盤となる土地を求めることを重視する。

ネイティヴ・アメリカンを取り巻く状況は複雑である。一方で、多くの居留地には、裁判所、議会、警察などを管轄する部族政府が配置されており、各部族は一定の自治権を持つ。他方、居留地は連邦政府の信託地と位置づけられており、内務省インディアン局の管轄下にある。居留地に居住するネイティヴ・アメリカンは連邦政府に税金を払う義務を負うものの、州税は基本的に免除される。連邦政府の信託地である居留地には、原則として州政府の統治が及ばないからである。

なお、ネイティヴ・アメリカンの共同体はもともと欧米諸国が引いた国境線とは関係なく存在していたため、カナダやメキシコとの国境を縦断して存在する居留地も存在する。そのような地域では、居住する部族民による国境を越えた移動が認められるし、連邦政府による統制も及びにくい。トランプ政権はアメリカ＝メキシコ国境地帯に壁を建設すると主張しているが、国境を縦断する居留地の取り扱いは難しい問題である。

◆部族員が得られる権利の存在

ネイティヴ・アメリカンの人口は、20世紀後半から増大している。その背景には、2000年の人口統計調査以降、自らの人種として複数のものを申告することができるようになったことがある。それに加えて興味深いのは、ネイティヴ・アメリカンの特定の部族に所属していれば一定の法的権利を得られることがあることから、それを目当てに部族への所属申請をする人々が存在することである。

例えば部族員には、部族政府や連邦政府が提供する社会政策（医療や教育など）を受ける権利がある。カジノの経営による利益が分配されることもある。1988年に制定されたインディアン賭博規制法により、利益の7割以上を部族社会に還元することが求められているためである。アメリカでは連邦政府が医療などの社会政策を全ての人に提供しているわけではないし、カジノの設置も居留地以外の地域では容易に認められるわけではない。ネイティヴ・アメリカンが特別扱いされているのは、過去の植民地主義に対する反省と補償が必要だと認識されているためである。

特定の部族に所属していれば一定の法的権利を得られることがあるとなれば、部族への所属を認めてほしいと願う人が登場するのは当然である。部族への所属資格を定める権利は各部族政府が持っており、一般的には、血筋や文化の継承に加えて、部族の定める審査を経る必要がある。

その中でも、所属希望者が部族の血筋をどのくらいの割合でひいているかを判断することが重要になり、各部族は最新のDNA鑑定などを駆使してそれを確定している。本章の冒頭で、民主党大統領候補となることを目指したウォーレンがネイティヴ・アメリカンの血筋をひいていると強調していると紹介した。だが、この主張は、ネイティヴ・アメリカンからは必ずしも好意的に受け止められていない。その背景には、そもそもウォーレンはネイティヴ・アメリカンの血筋が弱いことに加えて、利益獲得を目的として部族への所属を希望する人が増えていることに対する反発がある。

なお、部族への所属資格の有無を各部族が判定することには、困難な問題がある。特定部族に所属することを証明するには、その部族の血筋が何%以上占めていると証明せねばならない。だが、例えばネイティヴ・アメリカンが他部族のネイティヴ・アメリカンと結婚したような場合、その子どもの部族濃度は低くなる。その結果、祖先の全てがネイティヴ・アメリカンであるにもかかわらず、部族濃度の問題からどの部族にも所属できないという事例も存在し得るのである。

◆「アメリカの中の第三世界」

ネイティヴ・アメリカンの貧困率はどの人種集団よりも高い。アメリカでは国民皆医療保険が公的に制度化されておらず、民間医療保険を基本としている。そのため、貧困者が多いネイティヴ・アメリカンの医療保険加入者比率も低く、平均寿命も短くなっている。アルコールやドラッグに起因する問題も多い。このような状況を指して、ネイティヴ・アメリカンの住む世界を「アメリカの中の第三世界」と評する人もいる。

ネイティヴ・アメリカンを取り巻く状況の特異性は、環境問題との関連でも顕著に見て取れる。現在、アメリカのウラン鉱山の9割が先住民居留地かその近くにある。これは、先住民がそのような土地に追いやられてきたためであり、ウラン鉱山の開発に際し先住民が安価で酷使されてきた。その結果として、白血病や癌のリスクが増大し、実際にそれらの病に罹《かか》った人も多い。

同様に、産業廃棄物処分場、高レベル放射性廃棄物の暫定貯蔵施設や刑務所などの多くも、先住民の居留地に設置されている。これは一方では、迷惑施設を自らの居住地域に置きたくない人々が、居留地にそれらの施設を押しつけた結果である。他方、それらの施設を誘致することにより収入を得ようとする先住民部族も存在する。例えば、先住民部族が砂漠地帯に追いやられた場合、その地域は農業などに適さないこともあり、居留地内に居住し続けながら収入を得るのは容易ではない。そのため、迷惑施設を受け入れることによって収入を得ようとする部族が登場するのである。

先ほど、居留地には州政府の影響が及びにくいと指摘した。居留地内では部族が一定の自治権を持つため、迷惑施設の受け入れを彼らが決めるのは、彼らの自治の範囲内と考えることができる。だが、その周辺地域の人々は部族による迷惑施設の受け入れに強い抵抗を示すため、部族政府と周辺の地方政府や州政府との対立が顕在化することもある。

アメリカでは、ネイティヴ・アメリカンに対して、本来のアメリカを体現するものとして幻想や憧れを抱く人も多い。レッド・スキンズなど、ネイティヴ・アメリカンを想起させる名を冠したスポーツチームが多いことも、その表れである。だが、ここまで説明してきたように、ネイティヴ・アメリカンは他のアメリカ国民とは異なるものとして扱われてきたのも事実である。アメリカ的であるとともに異質というネイティヴ・アメリカンの特殊な位置づけを理解する必要があるだろう。

5. アイデンティティ・ポリティクス批判と「新たなマイノリティ」としての白人

◆アイデンティティ・ポリティクスとは

第二次世界大戦後のアメリカでは30年に及ぶ好景気が続き、そのきっかけをつくった民主党が優位を保っていた。その中で、自らの利益関心を実現させたいと考える人々は、勝ち馬に乗ろうとして民主党陣営に加わった。とりわけ１９６０年代以降には、黒人やエスニック集団、女性、ＬＧＢＴなど、自らのアイデンティティの実現を目指す人々が民主党連合に加わり、リベラルを称するようになった。それ以後、マイノリティの人々の社会経済的地位が上昇するとともに、その尊厳が重視されるようになっていった。

アイデンティティ・ポリティクスの性格を象徴的に示すのが、１９６０年代に第二派フェミニズムの活動家などが掲げた「個人的なことは政治的なことである」というスローガンである。アイデンティティの実現とその承認獲得を目指すアイデンティティ・ポリティクスにおいては、各人のアイデンティティは本人自身が決めるのが当然であって、他から介入されることは基本的に想定されない。また、純然たる経済的利益が対立した場合には「足して二で割る」などという形での妥協が可能だが、アイデンティティの実現を目指す運動では妥協は好ましくないものと考えられている。

◆アイデンティティ・ポリティクスの限界

他者のアイデンティティを尊重することが重要なのは論を俟《ま》たないだろう。だが、アイデンティティ・ポリティクスを展開する人々の議論はいくつかの限界を抱えているとして、否定的に捉える人もいる。

第一に、アイデンティティ・ポリティクスを展開する人々は、マイノリティとされる人々を社会的弱者とみなし、そのアイデンティティの実現を目指す。だが、多数派に属す人々のアイデンティティや利益関心には十分な関心を払わないことが多い。アメリカの多文化主義論者はマイノリティの文化を擁護する一方で、伝統的な主流派文化を白人に有利なように偏ったものと位置づけ、白人（とりわけ男性）を既得権益者とみなす傾向が強い。論者によっては、白人（男性）を、マイノリティに対して無意識のうちに差別的態度をとる存在とみなすこともある。

だが、2016年のトランプ現象が明らかにしたのは、アイデンティティ・ポリティクスの担い手や多文化主義論者が既得権益者とみなした人の中でも、白人労働者層は後述するように、自分たちを被害者であると考えていることだった。彼らはアイデンティティ・ポリティクスに代表されるリベラル派の議論の射程には入ってこないのである。

第二に、アイデンティティ・ポリティクスを重視する論者は、アメリカ国民全体に共通する利益の実現を目指していないといわれることがある。アイデンティティ・ポリティクスを重視する人々が自らの立場を絶対視するようになると、立場の異なる人々が議論を積み重ねることで互いに歩み寄り、共通の利益の実現を図るという、リベラル・デモクラシーが目指してきたものが達成されなくなってしまう。ニューディールの実現を目指した伝統的リベラル派が導入した社会政策を実施するには、国民の間に一体性の感覚や連帯感が存在する必要があった。だが、アイデンティティ・ポリティクスの提唱者が自らとは異なる立場に不寛容な態度をとるようになると、対話が成立しなくなり、全体に共通する価値や利益の実現を目指すことができなくなってしまう。

第三に、アイデンティティ・ポリティクスには、女性の尊厳や人権など、それ自体としては誰も否定できない価値を掲げ、異論を認めず敵対者を糾弾するものというイメージが伴うことがある。その非難・攻撃というスタイルは実は暴力的だが、その暴力性に無自覚な人も多い。仮にその暴力性を認識していたとしても、自らは弱者の味方であり、正しい規範に依拠していると考えているため、その暴力性を正当化することが多い。そして、自らに対する批判をリベラルな規範の否定と捉え、糾弾する側よりも高い位置にあるという意識から糾弾者をさらに批判するという現象が発生する。自らの奉じる価値や規範は絶対視するものの、他の価値観に対しては極めて不寛容な態度をとる。よってたちの悪いダブルスタンダードのように捉えられることがあるのである。

◆白人労働者層とその絶望

トランプの支持基盤となっている白人労働者層には、アイデンティティ・ポリティクスに否定的な態度をとる人が多い。その背景には、彼らを取り巻く環境が悪化していることがある。第9章でも触れるが、アメリカ白人を取り巻く環境は、黒人や中南米系の人々のそれと比べれば良好である。だが、傾向としては黒人や中南米系の社会経済的地位が上昇しているのに対し、白人労働者層の社会経済的地位は上昇していないため、相対的な剥奪感を抱いている。近年のアメリカでは、刻苦勉励すれば豊かになる、仮に自らは貧しくても子どもは豊かになるというアメリカン・ドリームを信じる割合は、白人よりも黒人の方が高くなっている。経済格差が拡大し、中間層の地位が低下するとともに社会的流動性が低下しているため、白人労働者層はアメリカ社会に絶望しているのである。

白人労働者層を取り巻く状況の深刻さを象徴的に示しているのが、45歳から54歳の死亡率の増大である（図表6）。医学の進歩もあり、この世代の人々の死亡率は、少なくとも先進国では減少している。アメリカの黒人や中南米系の死亡率も同様である。だが、アメリカの白人については、その趨勢《すうせい》に反して死亡率が上昇している。しかも、薬物やアルコールの過剰摂取、自殺などがその大きな死因となっているのである（図表7）。

先述したように、アメリカでは白人の人口比率は徐々に低下しつつあり、２０４０年代のいずれかの時点で中南米系を除く白人の人口比率が50％を下回ると予想されている。現在、既に新生児に関しては、白人の人口比率は半数を下回っている。このような事態を受けて、社会経済的地位の低下を恐れる白人労働者層が反動的行動に出ているのが、トランプ現象の一側面である。

図表6　45〜54歳の死亡率

（人口10万人あたりの比率）

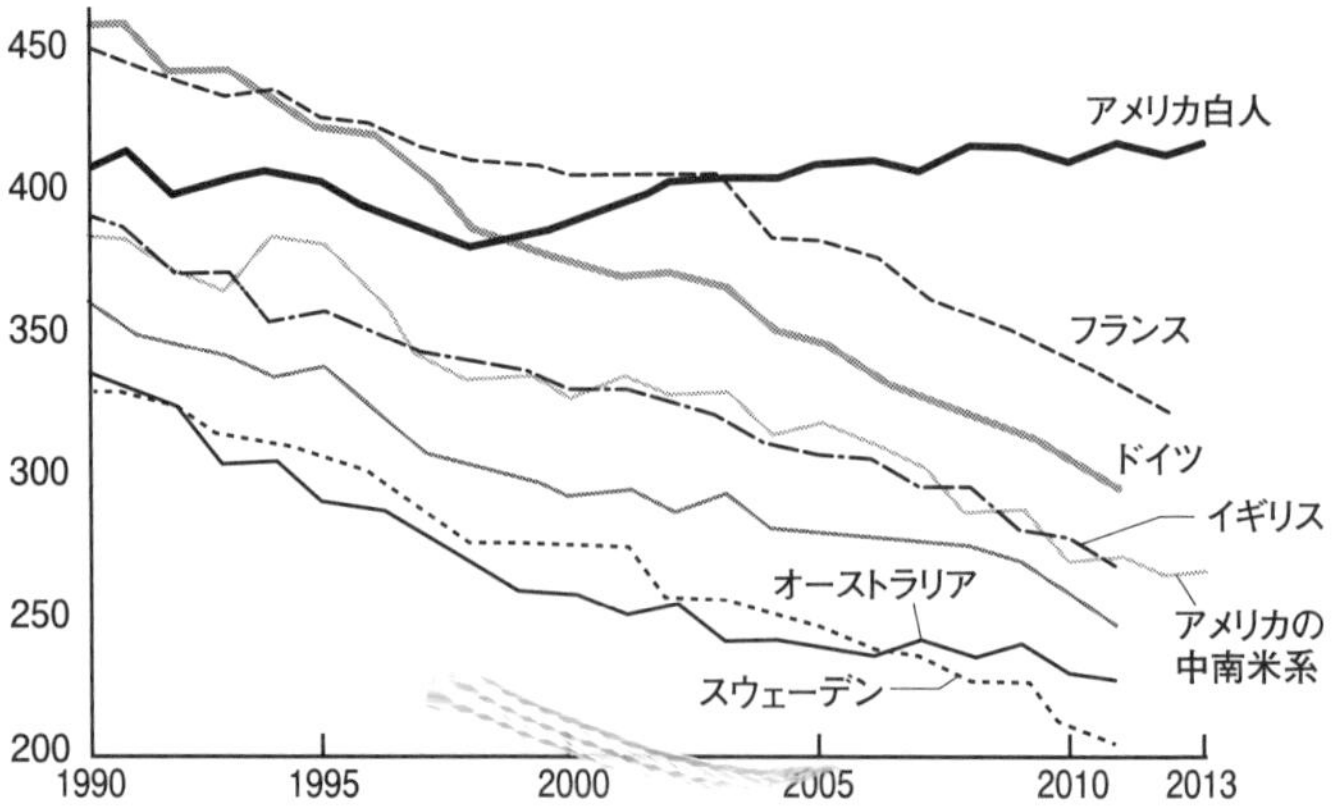

（出典）Proceedings of the National Academy of Science of the U.S.A.

図表7　45〜54歳の中南米系を除く白人の死亡理由

（人口10万人あたりの比率）

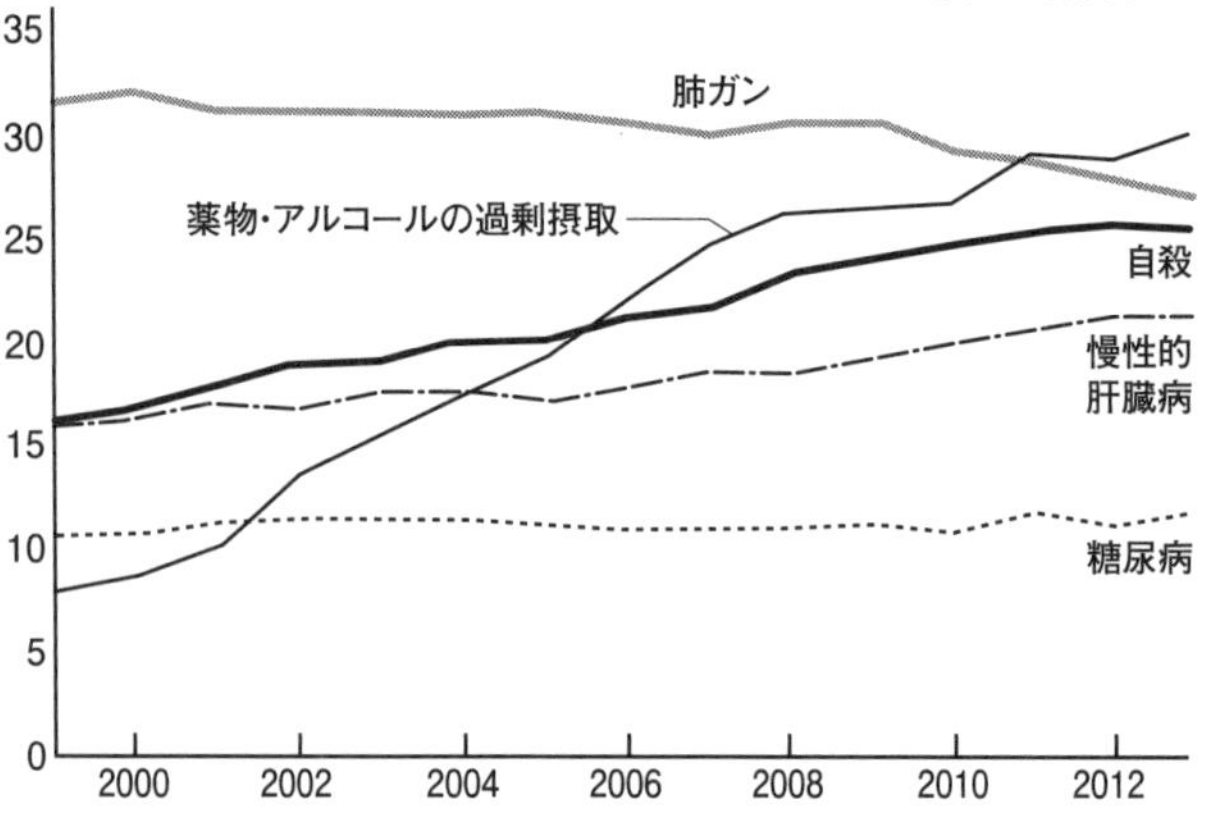

（出典）Proceedings of the National Academy of Science of the U.S.A.

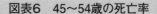

◆幾重もの被害者意識を持つ白人労働者層

このように社会経済的地位を低下させ、相対的剝奪感を抱いている白人労働者層を、ある論者は「新たなマイノリティ」と呼んでいる。彼らは、黒人や移民について批判的なことを述べれば人種差別主義者と呼ばれ、グローバル化を批判すれば怠け者と批判される。今日、白人労働者層の男性は、社会的に成功した白人からは見下され、マイノリティからは積極的差別是正措置という名の逆差別を受け、家庭内では妻に見下されているという三重の被害者意識を持っている。三つ目の意識は、製造業の衰退によって主たる家計支持者としての立場をサーヴィス業に従事している妻に奪われた場合に顕著である。

以後の社会経済的成功を期待することのできない彼らは、製造業がアメリカ経済を牽引していた時代を懐古し、「アメリカを再び偉大にする」という後ろ向きのスローガンを掲げるトランプを支持している。それは、歴代の民主党政権によって達成された「進歩」への反発という側面を持っているのである。

◆移民問題の位置づけ——スケープゴートとしての移民

移民や不法移民が雇用を奪い、アメリカの治安を悪化させているというトランプの主張を、このような状況に置かれた白人労働者層が支持している。だが、トランプの主張は根拠が薄弱である。白人労働者層の雇用が失われているのは、産業構造の変化とオートメーション化によるものである。また、移民や不法移民はアメリカで犯罪に着手すれば国外追放の危険が生じるため、罪を犯すのは合理性に欠ける。むしろ、家族や知人に不法滞在者がいる場合などは、法執行機関との接触を避けるため、犯罪被害にあっても泣き寝入りすることが多いのが実態である。

　このように、白人労働者層がマイノリティに対して抱いている脅威は、実体のない抽象的脅威にすぎない。移民はトランプ政権によってスケープゴートとされている。そして、移民がアメリカ社会に脅威をもたらしているという誤った認識に基づき、トランプ政権は移民政策を実施しているのである。

　このようなトランプの政策が支持される背景には、白人労働者層がその地位を脅かされているという感覚がある。不法移民流入阻止に実質的な効果を持つとは考えにくい国境の壁建設案が一定の支持を得ているのは、壁に彼らのライフスタイル、文化、尊厳を守るものとして象徴的な意味を付与されているからだろう。

　2016年大統領選挙でトランプの勝利を導いた白人労働者層の意識に訴えかける戦術

は、2020年大統領選挙でも採用されるだろう。だが、以後マイノリティ人口が上昇していくことを考えると、共和党もいずれマイノリティの支持獲得を目指す必要が出てくる。現在のアメリカは、過渡期にあると位置づけることができるだろう。

第4章 自由と暴力の国アメリカ

1．自由と暴力の国アメリカ

◆政府に抵抗する権利

アメリカは周知の通り銃社会であり、各地で起こる銃乱射事件に代表されるように、銃による被害者は多い。そうなると、日本的感覚では銃規制を強化すべきだと考えるが、アメリカでは逆の思考が働く場合もある。例えば、小学校などで銃乱射事件が起きた場合、先生に銃所有を許可し、有事の際に発砲できるようにすべきだと主張する人もいるのである。

銃の問題を考える上では、アメリカの国家発展の独自性について理解する必要がある。アメリカでは市民には「政府に抵抗する権利」があり、「銃所有は市民的自由の行使」だという考え方が広く浸透している。銃を持つ権利は国民の自由を保障する上で非常に重要で、銃は国民の自由を象徴するものだとの認識が強いのである。

「政府に抵抗する権利」が重視される背景をひもとくと、アメリカの建国期にまでさかのぼる。アメリカは、ヨーロッパの君主制や宗教的迫害から逃れてきた人々が、自由を達成するために建国した国だと考えられている。政府による自由の抑圧と侵害を回避することがアメリカという国の特徴であり、アメリカ国民が思うアメリカらしさの根源にある。そして、ヨーロッパの君主制、とりわけ絶対王政下の常備軍と官僚制を否定するというのが建国時のアメリカの国是なのである。ここでいう「官僚制」とは、例えば警察を指している。君主制に批判的な人々は、君主に反発する自国民を暴力によって抑圧する組織として警察を認識していた。アメリカでは建国時には常備軍を置かないことが基本原則とされ、官僚制（すなわち警察）も好ましくないと考えられていた。

アメリカでは常備軍は20世紀にならないと整備されず、南北戦争においても全て志願兵を募っていた。警察に関しても、多くの都市で組織化されたのは19世紀の後半であり、それまでは市民の代表による見回りが治安維持活動の中心だった。今日でも全米レベルで整備された法執行機関は連邦捜査局（FBI）などごく一部であり、その人員も多くはない。またFBIとニューヨーク市警やロサンゼルス市警などの自治体警察は上下関係にあるわけでもない。

このように、アメリカでは歴史的に見て軍隊も警察も整備されてこなかった。その中で銃は、自分の身を守るための自衛手段だった。自由はアメリカの象徴であり、中央政府は君主制であってはならず、警察は整備されてはならない。そのため、犯罪などの暴力から身を守るためには銃を用いて自衛をしなければならないとされた。だが、その銃を用いて国内で暴力的犯罪がしばしば引き起こされる。このような背景があるがゆえに、アメリカという国を考えるにあたって、自由と暴力は密接に関わってくるのである。

◆自由の国アメリカ

自由の女神像は、アメリカを象徴するものとされる。しばしば「アメリカは自由の国だ」と言われるが、そのような表現をされる国は他にはほとんどない。日本の場合だと、「日本人が住む国だ」「日本語が話される国だ」などと表現されるだろう。アメリカの場合は「このような民族が住む国だ」「この言語が話される国だ」と言うことはできない。

アメリカには多様な移民が居住する。そして、日本でいえば日本語にあたる国語、公用語が存在しない。日本の国語の授業にあたるものを英語で行わなければならないということもなく、中南米系住民の多い地域ではスペイン語で授業が行われることもある。また宗教についても、例えばドイツではルター派が公定宗教とされているが、そういうものもア

アメリカの象徴、自由の女神像

メリカには存在しない。アメリカは多民族・多宗教の国であるため、民族性や言語、宗教によって国民性を説明することができないのである。

このため、アメリカでは政治制度や理念の共有に基づいてナショナル・アイデンティティを構築しようという議論が生まれる。「アメリカは自由の国だ」「アメリカは民主主義の国だ」という議論が出てくるのである。

合衆国憲法で最も重要な位置づけが与えられている言葉の一つが、「自由」である。合衆国憲法修正第1～10条は市民的自由を保障するための規定であり、「権利章典」とも呼ばれる。アメリカの場合、憲法の本文では統治機構についてのみ定められており、人権規定は存在しないが、この権利章典が憲法制定直後に追加されたことは自由という理念の重要性を明らかにしている。後ほど詳しく見ていくが、例えば修正第1条は言論・プレスや信仰の自由、修正第2条は銃所有の権利、修正第4〜6、8条は犯罪者の権利を規定しており、自由の重要性を強く表明している。

アメリカの対外政策を考える上でも自由の問題は重要である。アメリカの対外政策の特殊性として「孤立主義」と「積極的対外関与」があげられる。孤立主義を最初に唱えたのは初代大統領のジョージ・ワシントンだが、「アメリカの自由を守るためには腐敗したヨーロッパと距離を置かなければいけない」ということを根拠として、孤立主義は提唱された。今日でも、他国と関わらないことでアメリカの自由を守るべきだという議論は存在する。

これに対して、積極的対外関与とは「アメリカは他国と積極的に関わるべきであり、自由と民主主義を拡大することがアメリカのあるべき姿である」という議論である。両者が提唱する内容は全く異なっているが、いずれの場合も、自由の尊重がその根拠とされていることが、アメリカらしいといえるだろう。

2. アメリカの銃をめぐる問題

◆国民1人1丁に相当する数の銃が存在する国

アメリカ国内には3億丁を超える銃が存在している。今日アメリカに居住している人が3億2000万人ほどであるので、1人1丁程度の銃が存在する計算となる。そして2010年には銃に関連して3万人以上が死亡している。これほど多くの銃が存在し、銃によってかくも多くの人が死亡していることを考えると、アメリカ国内で銃規制に関する議論が高まるのは自然と思えるかもしれない。

実際、アメリカ国民の大半が穏健な銃規制には賛成している。例えば、重罪を犯して刑に服したことのある人物は銃を持ってはならないという規制や、マシンガンなどの大型銃に対する規制などには大半の人々が賛成している。にもかかわらず、銃規制はなかなか進まない。それはなぜかを考えるにあたっては、少なくとも三つのポイントがあげられよう。

一つは建国の理念と反政府の伝統である。ヨーロッパの君主制を否定するというのがアメリカの国の成り立ちであり、常備軍と警察を否定し、自衛のために銃を持つことは自由の象徴であり、国民の権利だという考えが根強いのである。

それを象徴的に示しているのが、合衆国憲法の修正第2条である。そこでは「規律ある民兵は、自由な国家の安全にとって必要であるから、人民が武器を所有し又携帯する権利は侵してはならない」と定められている。この条文中の「規律ある民兵」という言葉に時代錯誤を感じる人もいるだろう。だが、この民兵という言葉には、政府による圧政に対抗する存在として象徴的な意味が与えられている。政府が暴力を独占してしまえば、その暴力を国民に向ける可能性が出てくる。独立に際しイギリス本国と民兵が戦ったことから、政府による圧制に抵抗する存在として民兵が位置づけられているのである。政府に対する不信感、政府による圧政から逃れるためには自衛が必要という意識、公共の利益を守るためには市民が能動的に活動する必要があるとの発想の表れなのである。

世論調査の結果も興味深い。「銃購入希望者の身元調査をすべきか?」との質問には過半数の人がすべきだと答えるが、「そのための法律を連邦議会上院が通すべきか?」との質問には、同じ人々を対象として行われた調査であるにもかかわらず、過半数の人が反対する。ここでもアメリカ国民の政府への反発の強さ、政府との微妙な関係性が示されている。

◆銃をめぐる都市と農村の対立

銃規制が進まない二つ目の理由として、都市と農村の対立の問題がある。

アメリカでは都市部では銃規制推進派が多く、農村部では銃規制反対派が多い。その結果、ニューヨークやロサンゼルスなどの大都市から選出された連邦議会議員は銃規制推進の立場をとるが、農村地帯が選挙区となっている議員は銃規制反対の立場に立つ。そしてアメリカ国内全体を見れば農村地帯の方が圧倒的に広いのである。

では、なぜ都市部では銃規制推進派が多く、農村地帯では銃規制反対派が多いのかといえば、面積と人口密度の問題がある。アメリカの都市部は日本の都市部と同様、人口密度が高い。都市部で犯罪が起これば日本の110番にあたる911番への通報で比較的早く警察がやってきてくれる。だが、アメリカの農村地帯では、隣家に行くのに車で20分以上かかることも珍しくない。そのような場所で怪しい人物を見かけたり、犯罪が起こったりした場合に911番通報をしても、警察が現場に来るのに時間がかかるため、ほとんど意味をなさない。農村地帯の人々が、危険な人間に対抗するための自衛手段がなければ自分の命と財産が危ないと考えるのは自然なことなのである。

都市部では何かあったら警察に頼ればよいと考える人が多いため銃規制推進派が多く、農村地帯では銃がなくては安全を守れないため銃規制反対派が多数を占める。このような背景のもと、銃規制推進派と反対派の間で様々な議論がなされるが、統計的に見ると、銃規制推進派にとって都合の悪いデータの読み方ができる。というのは、統計上、人口当たりの銃の数が多い地域ほど、銃による犠牲者が少ないという関係性が見て取れるからである。銃による犠牲者が多い地域は、銃乱射事件が起こりやすい学校など人の多い場所、つまり都市部に多い。だが、都市部は先ほど述べたように、人口当たりの銃所持率は低い。他方、アメリカで人口当たりの銃所持率が高い地域は、自衛のため、あるいは野生の獣を狩るために銃を所持している人が多い農村地帯である。そしてアメリカの農村地帯は治安が良好であることが多い。

このような事情によって、統計上は、人口当たりの銃の数が多いところほど犯罪が少ないことになる。この統計を根拠に、銃を持つ地域では人は他者に暴力を振るわず、礼節を守るようになる、などと主唱する人も登場する。そして銃乱射事件が起こった場合に、銃規制を強化するのではなく、むしろ緩和して多くの人が銃を持てるようにすれば治安がよくなるとの議論が湧き起こる。農村地帯に住んでいる人たちは、自分の身を守るために、多くの人に銃を持たせるべきだと主張するのである。

◆全米ライフル協会（NRA）という強力な組織

銃規制が進まない三つ目の理由として、銃規制反対派の政治力が強いことがある。銃規制反対派の代表的機関に、全米ライフル協会（NRA）が存在する。NRAのスローガンは「人を殺すのは人であって銃ではない」である。人を殺す方法はたくさんあり、ナイフでもコンパスでも鉛筆でも、頸動脈を刺せば人は死ぬかもしれない。だが、その時に鉛筆を悪と見ることはなく、悪いのは刺した人間だと考えるのが一般的だろう。ならば銃も同様で、銃で死ぬ人がいても、銃ではなく銃を使った人間が悪いというのがNRAの考え方である。そして銃による犯罪を減らすためには、より多くの人に銃を持たせ、銃の使い方の教育をすることが重要だと主張している。

NRAは公称500万人の会員を擁し、圧倒的な組織力と資金力を持っている。そして、アメリカの州単位だけではなく、大半の市や町にNRAの組織が存在する。それら自治体で、世話役となる人物がその地域の会員を取りまとめており、組織間のネットワークが構築されている。この人員の多さと組織力、資金力がＮＲＡの政治力の強さの理由の一つである。

ＮＲＡは政治上の立場が強硬ながらも現実的であることも、その強さの理由となっている。日本ではＮＲＡは徹底的に銃規制に反対する過激派だというイメージを持つ人も多いが、アメリカ国内で銃規制に反対する組織の中ではＮＲＡは実は穏健派である。例えば、銃規制反対派の中には、個人で大量破壊兵器を持っても構わない、殺傷力の高い連射可能な銃を持つべきだ、などと提唱する組織も存在する。そのような組織は、既存の法律は守らなくてもよい、自分たちの大義の方が正しい、という立場をとることがある。それに対し、ＮＲＡは既存法規の順守を掲げる。すなわち、ＮＲＡは新たな銃規制を設けることには断固として反対するが、今ある銃規制は守るという立場なのである。そのため、現職政治家と関係を保つことも可能で、政治家からすればＮＲＡと敵対する必然性はないということになる。

ＮＲＡの選挙支援策が巧みであることも重要である。メディアでは、ＮＲＡは共和党の強固な支持母体だと報じられることがある。確かにＮＲＡが民主党候補より共和党候補を推薦することが結果として多いのは事実だが、共和党を支持することを当然としているわけではない。例えば、2016年と2020年の大統領選挙で民主党候補になろうとしたバーニー・サンダースはNRAと関係が深く、NRAが出す信頼できる政治家ランキングで同率1位となっている。

NRAは政党とは関係なく、現職議員がNRAの方針を全面的に支持していればその現職議員を支持する、そうでなければその対立候補を無条件に支持するのである。サンダースは自称民主社会主義者で左派の政治家だが、彼が連邦議会の選挙で初当選したのはNRAのおかげだった。その選挙ではサンダースは銃規制をするべきだと言っていたが、彼の対立候補であった共和党の現職議員がNRAの方針に反するメッセージを出したため、NRAがその共和党議員ではなくサンダースに投票するよう呼び掛けたのだった。サンダースはそれ以降立場を変更し、銃規制反対派となっている。

このように、NRAは、現職議員にはNRAの方針に全面的に賛同することを要求し、そうでなければ対立候補を応援するというメッセージを出している。アメリカでも銃犯罪が問題になっている地域は日本で思われるほど多いわけではなく、そのような平穏な地域の議員にとっては銃規制は重要争点ではない。それゆえ、強い信念を持って銃規制を推進すべきと考える議員以外の議員にとってNRAは、彼らの方針に賛同さえしていれば自分を支援してくれるありがたい存在なのである。

◆銃規制推進派

銃規制が進まない理由に、銃規制推進派が相対的に弱いこともある。推進派には銃犯罪の被害者も多く、彼らは都市部の貧困層が多いため、銃規制推進のための時間や資金を提供する余裕がなく、組織力もない。そうなると推進派は大金持ちの人に頼らざるを得ない。現在ブルームバーグ社のCEOで前ニューヨーク市長のマイケル・ブルームバーグが銃規制推進派として莫大な私財を投入している。驚くべきことに、2018年の連邦議会選挙では、NRAが集めた資金よりも、ブルームバーグが個人で銃規制推進派候補に献金した金額の方が大きかった。ブルームバーグは2020年選挙で民主党の大統領候補となるべく出馬表明をしている。また、大統領選挙のみならず連邦議会選挙にも多額の資金を投じると宣言している。そのため、2020年選挙で銃規制推進派が影響力を増大させることも考えられるだろう。

だが、銃規制推進派はいかんせん個人の資金力に依存しすぎている。また選挙は資金のみで動くわけではなく、選挙時に人々を動員する組織力も必要である。2020年の大統領選挙において銃規制賛成派と反対派をめぐって大きな動きが展開していく可能性もあるが、推進派が政治的影響力をどこまで持ち得るかは不明である。

以上のように、銃規制はアメリカ国内でも重要な意味を持ち、アメリカの自由と暴力の問題を象徴的に示しているのである。

3. 市民的自由

◆言論・プレスの自由の尊重

合衆国憲法の権利章典の中には、政治的に重要な論点になるものが存在する。君主制時代にヨーロッパでは、権力者が人々の自由を抑圧することで秩序を成立させていた。このことを考えると、自由の尊重と社会秩序維持が時に対立する関係になることがわかるだろう。

合衆国憲法は自由を尊重する考え方が非常に強いが、修正第1条で信仰の自由などと並んで定められているのが、「言論・プレスの自由」である。プレスの自由とは、出版・報道・編集の自由を意味している。「連邦議会は……言論又はプレスの自由を制限する法律を……制定してはならない」と連邦議会を主語にして定められているが、それは、統治機構、とりわけ連邦議会に対する建国者たちの不信感を反映している。

言論・プレスの自由をどこまで認めるべきかについては意見が分かれるだろう。例えば、政府転覆を目指すような反体制派に言論の自由をどこまで認めるべきだろうか。大統領を殺すために明日ホワイトハウス前に結集せよ、というテレビコマーシャルを流したい団体が存在するとして、それを言論・プレスの自由として認めるべきだろうか。これらについては議論が分かれるはずである。

そして、アメリカでは、国家が危機的な状況に陥った場合は言論・プレスの自由がある程度制約され、平時に戻ると制約に対する批判が強まる、というサイクルが見られる。例えば、第一次世界大戦時には「スパイ防止法」が制定された。これは共産主義者たちの言動を制約しようとしたものであった。だが戦後、スパイ防止法は言論・思想の自由を否定するものであると批判され、廃止された。

また1950年代には、ジョセフ・マッカーシーという上院議員がアメリカ国務省にソ連共産党のスパイがいると主張し、マッカーシズムといわれる集団的ヒステリーが起こった。その結果、1950年に国内治安法、1954年に共産主義者統制法が制定されている。だが、やがてマッカーシーは失墜してマッカーシズムの勢いがなくなるとともに、国内治安法や共産主義者統制法は言論の自由に反しているという批判が行われた。

このように、アメリカの歴史には、有時と平時を区別し、危機的な事態の際には言論の自由はある程度制約しても仕方がないと考え、平時には言論の自由は制約してはならないと考える傾向が見られる。1929年にオリヴァー・ウェンデル・ホームズ判事は、「忌み嫌う思想のための自由」という有名な言葉を残した。自らが忌み嫌う思想の自由を認めることが、自由を本当に認めることになるのだという意味であり、アメリカ国内でも頻繁に用いられる言葉となっている。

このような考え方に基づいて、アメリカでは、人種や民族などの本人の意思によって変えることのできない属性を根拠とする憎悪表現であるヘイトスピーチも禁止されていない（ただし、ヘイトクライムについては過重罰を科すことが認められている）。ドイツで、ナチス礼賛の表現をしてはならない、特定の民族に対するヘイトスピーチはしてはならないと憲法で定められているのとは対照的である。

◆犯罪者の権利を守ることの意味

次に、犯罪者の権利の問題を見ておこう。合衆国憲法では、犯罪者の権利を守るための規定が多く置かれている。

●違法収集証拠排除原則（修正第４条）。違法に収集した証拠は刑事事件で用いることはできない。

●二重危険禁止原則と自己負罪を拒否する権利（修正第５条）。二重危険禁止原則とは、一度有罪無罪が確定すれば同じ事件で再度審理を受けることはないという原則である。自己負罪を拒否する権利とは、自分に不利な証言をすることを拒否することができる権利である。取り調べをする際には、法執行機関は「あなたの発言は証拠として取り扱われる。不利になると考える証言は行わなくてよい」とわざわざ説明しなければ、容疑者の発言は証拠として取り扱ってはならないという判例も出されている。その原則は事件名から名をとって、ミランダ原則と呼ばれる。

●陪審裁判を受ける権利（修正第６条）。陪審員を裁判の時に呼ぶことができる権利。裁判の際に裁判官だけによる裁判か、陪審員もいる裁判かを選ぶことのできる権利である。

●残虐で異常な刑罰の禁止（修正第８条）。

権利章典とも呼ばれる合衆国憲法の最初の10の修正条項のうち、四つが犯罪者の権利を規定していることを奇妙に思う人がいるかもしれない。だが、犯罪者の権利が詳しく規定されているのには理由がある。人権という言葉はフランス人権宣言で大々的に用いられたが、それは当時の絶対王政の批判を意図していた。

当時のフランスには、例えば国民に大量の塩を購入させて税金をとるという仕組みがあり、塩を買わず塩税を払わない市民を見せしめとして公開処刑するようなこともあった。絶対王政下においては、国家にとって都合の悪い人間が全て犯罪者とされ、処罰されることが頻発していた。あらゆる人が国家によって犯罪者にされて罰される危険性があった。そのような危惧を踏まえて、合衆国憲法の修正条項は作られたのである。犯罪者の人権を守ることは全ての国民の人権を守ることにつながるというのが、この法律の前提であった。

今日でも、一部の国では、政治的考慮に基づいて、対立する人々を訴追・投獄することが行われている。このようなことから、犯罪者の人権を守る規定を置くことは、人々の自由を守る上で重要とされているのである。

◆テロの時代の市民的自由

２００１年に起こった９・11テロ事件を受けて作られたテロ対策法が、「愛国者法」である。愛国者法で特筆すべきなのは、テロ予防に力点を置いていることである。誰かが罪を犯した後に対応するのが刑事法の基本だが、愛国者法の場合は、予防拘禁、具体的には、テロを実行する可能性が高いと判断される人を拘束してよいこととなった。この愛国者法に基づいてイスラム教徒が頻繁に予防拘禁された。拘束するための根拠として、電子メールを覗き見るなど違法収集証拠排除原則に抵触するような手段がとられた。また、自己負罪を拒否する権利や陪審裁判を受ける権利も認めず、拷問による自白の追及なども行われた。

ここで大きな争点になったのは、権利章典の保護が緊急時にテロリストとその可能性のある者にも及ぶかどうかであった。実態としては９・11テロ事件直後は、愛国者法は憲法の原則には反しているが、国内の安全、社会秩序を守るためにはやむを得ないとの声が大きかった。

だが、ここで対テロ戦争の時代に特有の難しさが出てくる。通常の戦争であれば宣戦布告と終結宣言があって有事と平時が明確に区別できるため、有事に人々の自由が侵害されるのはやむを得ないという正当化ができた。だが、対テロ戦争の時代にはその原則が当てはまらない。テロはいつ起こるかわからず、誰がテロリストかもわからない。テロは多くの人が安心している平穏な時に起こることも多く、対テロ戦争は年中無休状態となる。このような対テロ戦争の時代において、人々の自由をどのように位置づけるべきかは大きな論点になるのである。

4. 対外政策と自由

◆自由と暴力の行使

本章の冒頭でも記したように、アメリカの外交の特徴としてしばしば「孤立主義」と「積極的対外関与」があげられる。孤立主義とは腐敗したヨーロッパ諸国と距離を置くことでアメリカの安全と自由を守るという論理であり、初代大統領のワシントンが提唱した。これをより鮮明にしたのが第5代のジェイムズ・モンロー大統領（1817〜25年在任）であり、その主張はモンロー主義と呼ばれた。モンロー主義とは、ヨーロッパ諸国に対し、西半球（アメリカ大陸）とヨーロッパ大陸間の相互不干渉を提唱したものである。

アメリカ国内ではモンロー主義はアメリカの自由を守るためのものだといわれたが、実態としては西半球の他の諸国、とりわけラテンアメリカにアメリカ的価値観を押しつけようとしたという側面もある。20世紀になって以降、アメリカはその他の地域にも積極的に干渉し、アメリカ的価値観、とりわけ自由や民主主義を広めようとするようになった。

このような外交方針を最も鮮明に表現したのがウッドロウ・ウィルソン大統領（1913〜21年在任）であったため、アメリカ的理念を世界に広げることを対外政策の指針とすべきだとの立場をとる人々のことを「ウィルソニアン」と呼んでいる。

自由などのアメリカ的価値観を拡げようとしたのは、ウィルソンに限らない。冷戦期には、アメリカは資本主義陣営の盟主として共産主義陣営と対峙していたが、人々の自由を認めない共産主義諸国は悪であり、自由を推進している資本主義陣営にこそ正義があるとの議論は一般的に行われていた。またアメリカは自由貿易を推進したり、ジミー・カーター政権期（1977〜81年）の人権外交に典型的に見られるように、信教の自由を擁護したり、少数民族に対する弾圧を批判したりしている。今日、アメリカが、中国によるウイグルへの弾圧や香港への対応を批判するなどしているのも、その例である。

その他、9・11テロ事件以降にテロ対策として、アフガニスタン、フィリピン、そして「アフリカの角《つの》」と呼ばれる北東部のソマリアやその周辺（地域）に対して行った侵攻を「不朽の自由作戦」と名づけたり、オバマ政権時に海賊対策、航行のルールを守らない中国などへの対策を「航行の自由作戦」と名づけたりと、対外政策の際にも「自由」をキーワードとしている。

これらの行動は、アメリカ例外主義と密接に関わっている。例えば中国がウイグルに対して人権侵害を行っているからといって、それをやめろとアメリカが口を出すのは内政干渉となり、主権を重んじる国際法の基本原則に抵触するはずである。ところが、アメリカだけはそのような内政干渉をしても構わない、なぜならばアメリカは例外的な国だからだという議論がアメリカ国内では強い。

このように、アメリカは自由の国としての自負心を背景に、しばしば暴力を伴い、あるいは暴力を背景として、独自の政策を国内外で実施しているのである。

第5章
「合衆国」としてのアメリカ

1．連邦制と地方政府

◆州政府の存在感

２００４年の民主党全国大会で、当時まだ全米的には無名だったバラク・オバマが行った演説が注目を集めた。その演説は後に「一つのアメリカ」スピーチと呼ばれるようになる。その演説を今日見直すと、いくつもの気付きが得られる。その一つが、本章のテーマである連邦制と州に関することである。オバマの演説は、実質的には「偉大なるイリノイ州を代表して……」と始まるのだが、「イリノイ」という州の名前が出た際には、小さな拍手が起こる。その演説内では他にオバマの母親の出身地として「カンザス」が、またオバマが子ども時代を過ごした場所として「ハワイ」が出てくるが、その時も同様であった。

大統領選挙の年の7月から9月のいずれかの時期に、二大政党の大統領候補を決める全国党大会が開催される。そこに、州ごとに選出された代議員が参加するのだが、彼らが自分の州の名前が出てきた時に拍手をしているのである。日本で政治家のスピーチで都道府県名が出た時に拍手が起こることは考えにくい。アメリカは連邦制の国であり50の州から成っているが、アメリカにおける州が特別な存在感を示していることがこの例からわかるだろう。

ではアメリカ合衆国を構成する州のスケールはどれくらいだろうか。図表8は各州のGDP（国内総生産）がどの国の経済規模と同程度かを示したものである。そこに示されているように、テキサス州のGDPはカナダのそれに匹敵し、カリフォルニア州はイギリスに匹敵する。ルイジアナ州はフィンランドに匹敵し、フロリダ州はマレーシアに匹敵する。アメリカの各州は、世界の国々に匹敵する経済規模を持っているのである。アメリカの州知事が訪日するとニュースになることがあるし、日本企業が州政府と関係を深めようとしていることも時折報道されるが、アメリカの州が大きな存在感を示していることを考えれば当然だといえるだろう。

◆連邦政府との対決

アメリカの州と連邦制について考える上でいくつかの特徴的な事例を紹介したい。

アメリカでは、連邦政府と州以下の政府の対立が時折起こる。例えば、特定国からの入

図表8　アメリカ各州のGDPと同規模のGDPの世界の国々

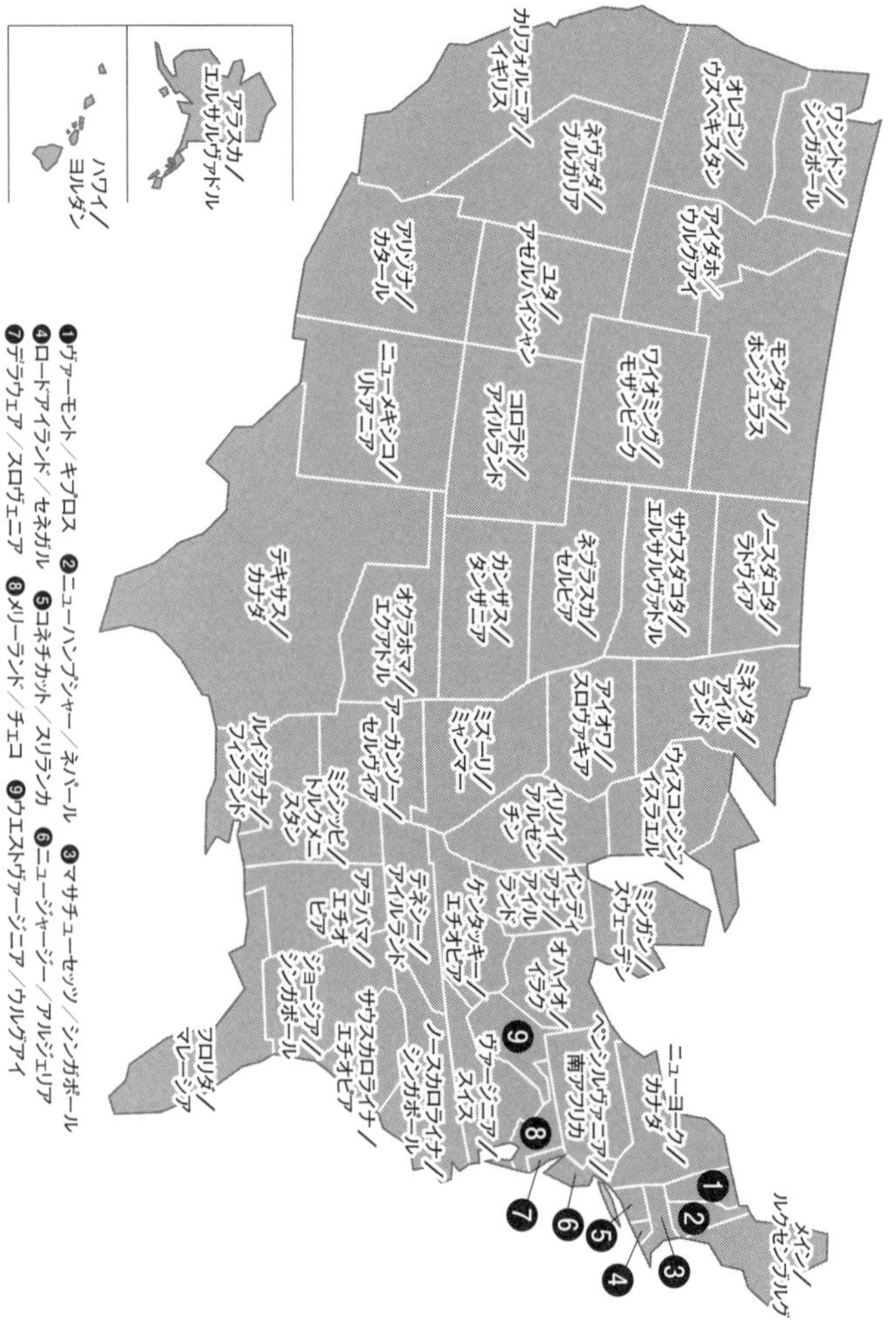

（出典）GZEROMEDIA

国禁止を定めた大統領令が違憲であるとして州政府が提訴した事例がある。トランプは大統領就任直後、イスラム過激派の入国を防止するために、中東の一部の国からの入国を禁止する大統領令を出した。それに対し、複数の州がそれは合衆国憲法に違反するとして提訴したのである。日本で安倍首相に批判的な都道府県の長がいたとしても、都道府県が中央政府に対して提訴することはないだろう。アメリカと日本の違いの一つである。

次に、「聖域都市」、「聖域州」という言葉の存在をあげたい。トランプ政権は連邦政府の方針として不法移民を徹底的に取り締まることを掲げ、それを執行するために州政府、地方政府に協力を要請したが、その方針に従わない都市や州をマスメディアがそう呼んだ。日本では中央政府が示した方針に反する政策を都道府県や市区町村がとることは基本的にないが、アメリカでは連邦政府の方針をめぐり州政府や地方政府と対立することがあり得るのである。

また別の例として、連邦政府がパリ協定から離脱したのに対抗して、カリフォルニア州が環境規制のための州法を制定したことがある。パリ協定とは、オバマ政権時、地球環境の保護のために様々な取り組みを行うことを各国が約束したものである。そのパリ協定からの離脱を宣言したトランプ大統領に対して、カリフォルニア州はパリ協定よりも水準の高い環境保護基準を定め、明確に反旗を翻した。カリフォルニア州はイギリスと同等の経済規模を持っているので、大きなインパクトを世界に及ぼし得る。そのため、こういった州政府独自の取り組みは注目に値するのである。

◆死刑制度をめぐる各州の違い

ここまで連邦政府と州以下で方針が明確に分かれている事例を見てきた。同様に、アメリカ州政府の多様性も様々な例から見て取れる。例えば死刑制度について、その制度がある「存置州」と、死刑制度を持たない「廃止州」がある。アメリカで刑事法を制定する権限は州政府が持っているため、死刑をどう扱うかは基本的には各州政府の問題となるのである。

法律上、ハワイ州、アラスカ州、ミシガン州、ウェストヴァージニア州、ニュージャージー州などが死刑を廃止しているのに対し、死刑を存置している州も存在する。死刑存置州の中にも実際に死刑を実施している州としていない州がある。中でも特徴的なのはテキサス州で、その他の州の死刑執行数の合計と同数の死刑を執行している。死刑についての考え方一つとっても州によって大きく性格が違うため、「アメリカではこうだ」と一口に語れないのが興味深い。

なお、合衆国憲法修正第8条で「残虐で異常な刑罰」が禁止されているが、それは死刑のことだと考えられている。そして連邦政府は死刑を禁止する立場を長くとってきた（ただし、トランプ政権は2019年に死刑を復活させるとの意向を示している）。にもかかわらず、死刑を実施している州が多くあることに対して不思議に思う人もいるかもしれない。だが、合衆国憲法は連邦政府には当然適用されるが、驚くべきことに一部の規定は州政府には適用されないのである。

◆連邦政府と州政府が対立する人工妊娠中絶の問題

連邦政府と州政府が対立する例として、人工妊娠中絶の問題もあげておきたい。

1973年、連邦最高裁判所はプライヴァシー権を合衆国憲法から導かれる権利と位置づけ、人工妊娠中絶の権利もそれに含まれるとした。女性が中絶を希望した場合、それは女性の権利だと判示したのである。これが「ロウ判決」と呼ばれるもので、その後人工妊娠中絶をめぐる様々な議論に影響を与えてきた（第2章参照）。

近年、この判決を覆そうとする人々による活動が注目されている。2019年にアラバマ州では、医学的に妊娠が確認できる時点以後については、強姦や近親相姦による妊娠の場合でも人工妊娠中絶を認めないという法律を定めた。アラバマ州の法律は、妊娠の経緯にかかわらず人工妊娠中絶を絶対に認めない方針を示したといえる。連邦最高裁のロウ判決に真っ向から対立する意向を示したのである。

もう一つ注目されたのはルイジアナ州で定められた「心音法」である。これは胎児の心音を確認できた時点以降は、強姦、近親相姦を原因とする妊娠であっても中絶を認めないというものである。胎児の心音は妊娠5～6週目で確認できることが多く、その時点で母親が妊娠に気づいていない場合も多い。これも人工妊娠中絶手術の実施を困難にする法律であるといえよう。

ルイジアナの事例が注目を集めた理由は、当時のルイジアナ州知事が民主党のジョン・ベル・エドワーズであったことにもある。一般に共和党は中絶反対派、民主党は中絶容認派といわれる。このルイジアナ州の事例が意味するのは、同じ政党に属する人物であっても、地域によって政治家の方針が大きく違う可能性があるということである。ルイジアナ州はアメリカの中でも最も保守的な州の一つである。この保守的なルイジアナ州の民主党の政治家と、全米でかなりリベラルな州だといわれるカリフォルニア州の共和党の政治家を比べた場合、争点によってはルイジアナの民主党の政治家の方が保守的で、カリフォルニアの共和党の政治家の方がリベラルなこともあるのである。

日本の場合、同じ政党の政治家同士で方針が違うようなことが起こると、無責任だと他党は批判する。だが、アメリカの場合は同じ党に属する議員であっても州によって方針が明確に違うことがある。これも、アメリカの政党政治の特徴、州の独自性を象徴的に示している。

2. 連邦制について考える

◆合衆国は「合州国」

ここで、アメリカの連邦制について考えてみよう。アメリカの連邦制の本質は、主権が州政府と連邦政府によって分かち持たれていて、単一でないことにある。

この特徴は、アメリカの建国の由来を考えるとわかりやすい。しばしばなされる説明に、アメリカ革命の結果アメリカが独立したというものがあるが、これには留保が必要である。

まず独立したのは、当時の13の植民地である。そして、それらStateが一緒になって第2段階としてアメリカ合衆国をつくった。Stateはアメリカ建国前については「邦」、建国以後は「州」と訳されるが、一般的には「国家」を意味する。アメリカ革命の結果、諸植民地はそれぞれ一旦国家になり、それら国家がアメリカ合衆国（United States of America）をつくったのである。この経緯を見ると、アメリカの州政府はもともと主権を持つ存在として位置づけられていたことがわかるだろう。

アメリカは州政府がそれぞれ主権を持っているが、他国からの脅威に対応するために共同で軍事力を行使できるように、州の合意の上に新たな国家としてアメリカ合衆国をつくり、各州の持つ主権の一部をアメリカ合衆国に移譲した。言い換えれば、それぞれの州の持つ主権を分割して、州政府と連邦政府が分かち持つという状態をつくったのが、合衆国憲法の基本的な考えであった。この考え方を「分割主権論」という。

日本で分権改革が検討される際、アメリカの連邦制を念頭に置いて議論されることがある。だが、日本は単一主権制の国であり、連邦制とするには憲法改正が必要になる。ただし、集権と分権、単一主権制と連邦制、というのは位相の違う対比である。連邦制のように主権が分かれている場合でも集権的な政治を行うことは可能であるし、日本のような単一主権制のもとで分権的な政治を行うことも可能なのである。アメリカが分権的な政治制度を採用しているのは間違いないので、アメリカの経験から学ぶことも多いはずである。

◆連邦制と地方政府

もう一つ指摘しておきたいのは、州政府は地方政府ではないということである。

一般的には、主権を持っていない政府のことを地方政府という。先ほど述べたようにアメリカでは州政府も主権を持っているため、州政府は地方政府ではない。主権を持っていない都市や町や村が地方政府である。

では、この地方政府はどのようにしてつくられるかというと、州政府によってつくられている。連邦政府が地方政府のあり方を規定することはなく、例えばニューヨーク市という地方政府のあり方を規定するのはニューヨーク州という州政府である。また地方政府は州政府が認める限りにおいて広範な自治を行う権限を有する。この考え方を「ホームルール」と呼ぶ。

日本において時折、アメリカの連邦政府は日本の中央政府、州政府は都道府県、ニューヨーク市のような市は基礎自治体（市区町村）にあたると説明する人がいるが、これは間違いである。日本の場合は主権を持っているのは中央政府だけなので、都道府県や市区町村は全て地方政府である。アメリカの場合は州は主権を持っているため地方政府ではなく、州の下にある市などが地方政府である。この制度的な前提を押さえておく必要がある。

◆連邦政府の権限拡大

このように連邦制が採用されている国において、中央政府と連邦政府の関係はどのようになっているのだろうか。歴史をさかのぼると19世紀には州政府が中心の政治が行われていた。19世紀の大統領といわれて多くの人が思い浮かべるのは、トマス・ジェファソン、アンドリュー・ジャクソン、エイブラハム・リンカンくらいだろう。過去の大統領を多く思い出すことができないのはアメリカでも同様である。なぜかというと19世紀のアメリカ大統領は大きな役割を果たす存在ではなかったからである。19世紀のアメリカ政治の中心は州政府であった。そして連邦政府と州政府の権限分担は、貨幣鋳造は連邦政府、警察は州政府などと明確に分かれていた。このような役割分担のあり方を、層に分かれているケーキになぞらえて、「レイヤーケーキ・モデル」という。

しかし、前世紀転換期に社会生活や経済活動が一変し、連邦政府に大きな期待が寄せられるようになる。

例えば19世紀には、人々の移動手段は徒歩や馬車であったため、社会生活・経済活動は特定の州の内部で完結することが多かった。だが、19世紀の終わり頃から自動車が発展し、州を越えて様々な活動を行うことが比較的容易になった。この状態では社会生活・経済活動とともに社会経済的な課題も全国化していく。

そのため全米レベルで新しいルールが必要だという議論が生まれてきた。州レベルで法律を定めるのでは不十分となり、連邦レベルでの対策が必要となってくる。連邦レベルでの立法化を可能にした合衆国憲法の根拠規定は、州際通商条項と呼ばれる規定である（「州際」とは州と州との関係のこと）。ニューヨーク州からニュージャージー州に車で移動する際、もし右側通行と左側通行が混在していると正面衝突の事故が発生してしまう。商取引においても州を越えて取引をする場合、どちらの州の法律を優先するかで争いが起きてしまう。そのため、そのような規則は連邦政府で定めようというのである。

これを根拠に様々な法律が作られるようになると、連邦政府と州政府の役割分担は徐々に不明確になってくる。このような役割分担のあり方を、レイヤーケーキに対して「マーブルケーキ・モデル」と呼ぶ。そして、それは連邦政府の権限の拡大につながっていく。

特にニューディール期に福祉国家化していくと連邦政府の力は増大し、今日では連邦政府は州政府に対して大きな影響力、存在感を示すようになっている。ただし、そうはいっても、ニューディールの社会福祉政策を実施する人員を連邦政府は持っていなかったため、政策の実施は州以下の政府に委ねられた。これは裏を返せば、連邦政府が州政府の意向を尊重しなければならないということである。連邦政府の権限は以前と比較すると大きくなっているが、州政府の権限も未だ大きいことが、アメリカの特徴である。

今日でも州政府の自律性は非常に高く、連邦政府が州政府や地方政府に決定を押しつけるのは困難である。トランプ政権の不法移民政策の執行に対して州司法長官が提訴した問題を紹介したが、連邦政府の決定に州政府が反発することも想定内のことである。

◆地域ごとの多様性

州政府は、もともとは別個の植民地だったという歴史的淵源に加えて、広大なアメリカでは地域ごとの多様性も非常に強い。

西部の地域は開拓民が入って徐々に土地開拓をしていったが、このような開拓地の人々は平等思考が強くなる。男性も女性も老いも若きも、同じように頑張らないと開拓できないからである。そのため女性を劣位に置こうとすると反発が起こり、まだ州になっていない準州の段階から女性参政権が実現していた地域まで存在したのである。

地域ごとの伝統や特色は今日でも残っており、例えば南部は伝統的な秩序を重んじる保守性があるといわれている。また、南部では黒人を奴隷として扱ってきた。その奴隷制をめぐってリンカンに対抗した南部の人たちがつくった南部連合は、今日でも象徴的な意味を与えられている。例えばノースカロライナ州で南部連合旗が州議事堂に掲げられたりしたのは、南部における独特の文化の表れだといえる。

もう一つ南部の特徴として、労働組合の法的保護が弱いことがある。暖かい南部は比較的大規模な農業を中心に発展したので、農業が成り立たない極寒地ボストンのように農業以外の産業を生み出す必要がなく、大企業も生まれにくかった。大企業があれば労働者の権利を守る動きも生まれやすいが、農業が強かった南部では労働組合が強くならなかった。今日でも労働組合への法的保護が弱いため、外国企業の参入が容易になっているのである。

このように州政府や地域ごとの多様性が強いこともアメリカの特徴である。

3. 連邦制から見る大統領選挙の仕組み

◆大統領選挙と連邦制

アメリカにおいて、連邦制は様々な形で影響を与えている。その一つが大統領選挙である。アメリカ大統領は、独立した諸州のまとめ役と位置づけられているためである。

では、アメリカ大統領はどのように選ばれているのだろうか。一般的なイメージと違い、最終的に大統領を選んでいるのはアメリカ国民全体というわけではない。大統領を決定する最終選挙は4年に1度、12月に行われているが、そこで投票権を持つのは各州から選ばれた大統領選挙人である。ただし、日本はもちろんアメリカでも、この選挙はほとんど注目を集めない。一般に注目を集めるのは11月の第一月曜日の翌日、つまり11月2日から8日の中で火曜日にあたる日に行われる選挙である。日本では「本選挙」と呼ばれるが、英語を直訳すると「一般選挙」ということになり、これは、12月に投票する大統領選挙人を各州から選ぶ選挙である。

このように、アメリカの大統領は、各州から選出された大統領選挙人によって選ばれている。もちろん、大統領選挙人を選ぶ選挙でも、投票用紙に記されているのは大統領候補の名前である。大統領選挙人として特定の人を選ぶのではなく、「大統領選挙人になればこの大統領候補に票を投じます」と宣言している人を選んでいることになるので、実際にはかなりの程度、直接選挙に近いともいえる。そして、現在ならば全国民による直接投票で大統領を選ぶことも可能であるのにこの制度が残っているのは、大統領を選ぶのは主権を持った州であるとの考えの表れである。

◆2020年大統領選挙の選挙人数

各州に割り当てられた大統領選挙人の数は連邦上院議員の数（一律2名）に連邦下院議員の数（人口比例で435人を振り分けている）を加えたものである（図表9）。なお、州になっていない地域（非州地域）のうちワシントンD.C.には3名が割り当てられている。各州の大統領選挙人のうち、例えば大統領選挙人の数が30人として、そのうち何人を民主党、何人を共和党に割り当てるかは、州政府が決定することになっている。今日では大半の州が1票でも有権者の票が多かった政党に全ての大統領選挙人の数を割り当てる勝者総取り方式を採用している。

大統領選挙人は各州政府と首都ワシントンD.C.に割り当てられており、たとえ人口が多くてもワシントンD.C.以外の非州地域の住民には投票権が与えられていない。建国期のアメリカは、北東部にしか州がなかったのが徐々に西部に拡大していった。アメリカ領でありながらも州になっていない地域に住む人は、連邦の選挙で投票権を持たなかった。今日でも事情は同じであり、アメリカが州を単位として連邦の政治を運営していることがわかるだろう。日本では1票の格差が問題となっており、アメリカでももちろんその問題は存在する。ただし、アメリカの場合はその前の段階として、グアムやサイパン、プエルトリコなどの人々は連邦の選挙について投票権を持っていないのである。

◆全国党大会での決定とは

大統領選挙が行われる前に、政党ごとに全国党大会が行われている。この全国党大会で二大政党の正副大統領候補が決定されるが、その決定に関わるのは特別代議員（元大統領や元上院議員など）と各州から選出された代議員である。大統領候補、副大統領候補ともに州の代表によって決められるのである。全国党大会で発表される綱領は、正副大統領が

図表9　州ごとの大統領選挙人の数（2020年）

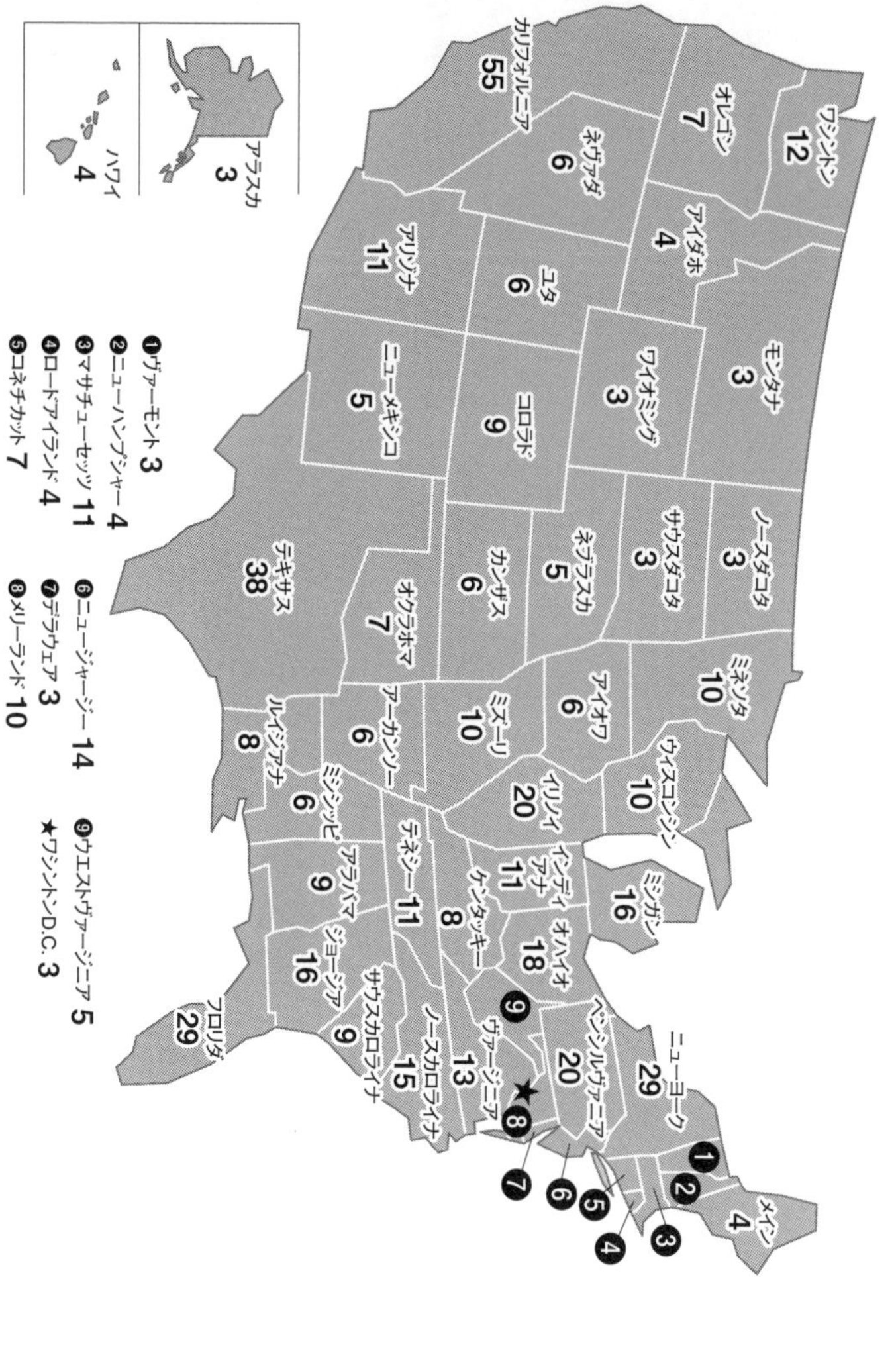

国民に向けて発表する公約であると同時に、各州の代議員、そしてその背後にある政党組織が団結することができる条件を記した一種の内部文書としての性格も持っている。

各州からの代議員の人数は、人口と最近の選挙で政党の勝敗に及ぼしたインパクトなどを勘案して党本部が決めるが、それぞれの州の中で代議員をどうやって決めるかは各州の政党本部の決定事項であり、ここでも州の自律性が見て取れる。このように政党組織のあり方に関しても、連邦制のあり方、州政府の存在感が強く反映されている。

◆投票権を定めるのは州政府

投票権のあり方についても、州政府が大きく関与している。連邦政府も財産、人種、性差による差別をしてはならないなど基本的なルールを定めているが、それを基本として具体的にどのような人に投票権を与えるかは、州政府が決めている。

例えば、重罪を犯したことのある人物に投票権を認めるかどうかは国により異なるが、アメリカでは州によってそれが違う。現在収監中の重罪犯に投票権を認める州もあれば、剝奪する州もある。元重罪犯の投票権を一生剝奪し続ける州もあれば、刑期を終えると投票権を復活させる州もある。なお、刑事法も州政府が決めていることを鑑みれば、州政府がどのような囚人や元囚人の投票権を剝奪するかに関しても決定権を持つ。例えばモヘア（アンゴラ山羊の毛）が入っている布地を盗んだ者は重罪犯とみなされ、死ぬまで投票権が剝奪される州もある。

ちなみにこのような元囚人の投票権剝奪の制度は共和党が優位する州で導入されていることが多い。罪を犯すのは貧しい人や黒人が多く、彼らは往々にして民主党に投票するため、そのような人々の投票権を剝奪するという目的がある、と指摘する人もいる。州政治の投票権に留まらず連邦政治の投票権についても州政府が決定し、結果的に連邦政治にも影響を与えることができるのである。

4. 連邦制をどう評価するか

◆民主主義の実験場

州政府に見られる多様性を好ましいと捉えるか否か、そして、連邦制をどう評価すべきかをめぐって議論は分かれている。

多様性を肯定的に評価する人があげる根拠に、「足による投票」という議論がある。州ごとに多様性があれば、好ましい政策パッケージを持つ州に引っ越すことができるという考え方である。これは、日本でも地方分権改革を唱える人が時折主張する考え方である。税率が高くても福祉が充実している地域、逆に福祉はほとんど提供されないが税率の低い地域など、地域ごとに多様性があれば望ましい地域に移動できて、望ましい結果が得られるという立場である。

民主主義の実験場という考え方もある。ある州や地方政府で実験的に導入された政策が好ましい成果をあげた場合に、それを他の地域が大きなリスクを負わずに真似ることができるというものである。例えば、アメリカの福祉国家の基礎を形成したニューディール政策は、フランクリン・ローズヴェルトが大統領になる前、ニューヨーク州知事時代に行った政策を基にしていた。それももともとは、ローズヴェルトの前任者であるアル・スミス（1928年の大統領選挙で民主党候補になった人物）が、ロバート・ワグナー（ニューディール期にワグナー法を作った人物）とともにニューヨーク州で行った福祉改革である。その福祉政策を全米レベルで導入したものが、ニューディールだったのである。この考え方は、日本でも特区構想などの形で導入されている。

州や地方政府が政治家の育成場となるという見解もある。州レベルで政治の訓練を積んだ人が、大統領選挙に打って出ることも多いのである。第1章で指摘したように、比較的最近の大統領は州知事出身者が多い。ジミー・カーターはジョージア州知事、ロナルド・レーガンはカリフォルニア州知事、ビル・クリントンはアーカンソー州知事、ジョージ・W・ブッシュはテキサス州知事であった。このように州レベルで政治家が育成されるのは、連邦制が導入され、州政治に自律性があるがゆえである。

◆福祉磁石論と底辺への競争

その一方で、連邦制や州ごとの多様性、自律性を否定的に評価する人もいる。奴隷制の時代に奴隷制反対派に対して主張されたのが、各州が決定権を持つのが当然だという集権論の議論だった。また、今日多くの人が死刑制度廃止を求めているにもかかわらず、例えばテキサス州で死刑が実施されるのは、アメリカが連邦制の国であるがゆえである。銃規制についても同様で、全米レベルで見ると銃規制を容認する立場の人が多い一方で、銃規制が行われない州がある。これも連邦制の弊害だと指摘する人もいる。

このように、州ごとの多様性を好ましいと捉えるか否かで議論が分かれているが、そもそも州政府が多様性を示そうとしても大きな制約があるという見解がある。

例えば、州や地方政府は人の移動を規制することができない。国の場合は出入国管理が可能だが、州以下の政府の場合は望まない人々の流入を物理的に阻止することはできない。ところが州や地方政府は地域住民に対して、福祉、水道、警察業務などの様々なサーヴィスを提供しなくてはならない。また、州や地方政府は通貨を発行することもできない。

このような限界がある中で、州や地方政府はどのような政策をとる傾向が出てくるだろうか。

州や地方政府は自分たちで物事を決定する代わりに、財源は基本的に自分たちで確保することになっている。そうなると、高額納税者や富裕層には地域にいてほしいものの、税金を納められない貧困者や福祉を必要とするような人々にはいてほしくないということになる。州政府、地方政府は人の移動を物理的に規制することができないため、政策を通して間接的に規制するより他ない。例えば、福祉の水準を切り下げるのはその一策である。福祉の水準を上げると貧しい人々がやってくるからである。これは、磁石が砂鉄を引き寄せるのと同じように福祉が貧困者を引き寄せるということから、福祉磁石論と呼ばれている。

また、福祉への支出が増えると、通貨を発行できない州政府は税金を上げるより他なくなる。それは高額納税者や富裕層が他地域へ逃げていく誘因となる。反面、これを回避するために、州や地方政府は福祉の水準を徹底的に切り下げて貧しい人々を他の地域へ移動させようとする可能性も秘めている。このように州や地方政府に社会福祉政策を委ねると、福祉の水準を切り下げようとする「底辺への競争」が起こり、福祉国家としての発展が阻害されるというのである。アメリカは福祉の水準が低いといわれたりするが、これも連邦制が関わっているがゆえ、ということになるだろう。

このように、連邦制はアメリカ政治の様々な側面と関わっているのである。

第6章

選挙大国アメリカ

1. アメリカ政治と選挙

◆常時選挙戦状態にある国

アメリカ政治を考える上で選挙は非常に重要な意味を持つ。2020年11月に大統領選挙が行われるが、誰が民主党の候補になりそうかについて、日本でも2019年の早い時期には既に報道されていた。アメリカ以外の国で、大統領選挙の1年以上も前から関心が持たれているのは、アメリカ大統領が世界で大きな存在感を持つこと、そして大統領を決める選挙が重要な意味を持っていることを表している。

当然ながら、アメリカでも選挙は重要だと捉えられている。アメリカは民主主義を具現する国であり、その民主主義を実現する上で選挙はなくてはならない重要な仕組みだとの認識が強い。古典古代の時代以降、民主政治は実現するにしてもアテネやスパルタなどの全員が顔見知りのような小さな都市国家だけでの話だと長らく考えられていた。アメリカは、選挙という制度を導入すれば広大な領土を持つ国においても民主政治を実現できることを明らかにしたのである。

これはもちろん、本来の民主政治とは性格が異なっている。本来の民主政治は全ての人が政治に参加することを想定しているが、それが困難な場合には、決定に関わる代表者を抽選で選ぶのが望ましいだろう。抽選の場合は偶然性に基づいて人が選ばれるために、代表者はより国民を代表した構成となりやすいが、選挙ではこの人に任せたいと考えられた人が選ばれる。そのため、選挙は民主政治に選民思想的な要素を加えたものだということもできるだろう。とはいえ、アメリカでは選挙政治が導入されていて、それがアメリカの民主政治の基礎だと認識されているのである。

アメリカでは連邦のレベルでも州や地方のレベルでもかなり頻繁に選挙が行われており、常時選挙戦状態にある。大統領選挙は4年に1度、連邦議会の下院議員選挙は2年に1度行われる。連邦議会の上院は任期は6年だが、3分の1ずつ選挙で入れ替えとなり、やはり2年に1度選挙が行われる。連邦の選挙はいずれも原則偶数年に行われる。大統領選挙も連邦議会議員選挙も予備選挙や党員集会で候補者が選ばれるため、選挙前から注目が集まる。それに加えてメディアや世論調査会社などの選挙産業が発達していることもあり、常時選挙を念頭に置いて政治が行われることとなる。

州や地方政府のレベルでも頻繁に選挙が行われる。州では、州知事、州議会議員に加えて、州務長官、財務長官、司法長官など、様々な閣僚も選挙で選ぶところが多い。地方レベルでも、市長、市議会議員、保安官、学校区長などが選挙で選ばれるのが一般的である。そのため50万人以上が選挙で選ばれて公職者となっている。アメリカでいかに選挙が頻繁に行われているかがうかがえるだろう。

◆2000年大統領選挙をめぐるトラブル

アメリカの選挙の特異性について知るために、2000年に行われた大統領選挙について検討してみたい。候補は、共和党がジョージ・W・ブッシュ、民主党がアル・ゴアだった。大統領選挙は11月の第1月曜日の翌日（火曜日）に行われたが、選挙結果が出たのは1ヵ月以上後であった。フロリダ州で法廷闘争が行われたからである。

大統領選挙で勝利するためには270名以上の大統領選挙人を確保する必要があるが、この2000年の選挙では、勝敗は25名の選挙人枠を持つフロリダ州の結果次第、すなわち、フロリダで民主党が勝てばゴアが、共和党が勝てばW・ブッシュが大統領になるという状況であった。そして、フロリダ州の得票差数は最終的には0・0092%と、ほとんん

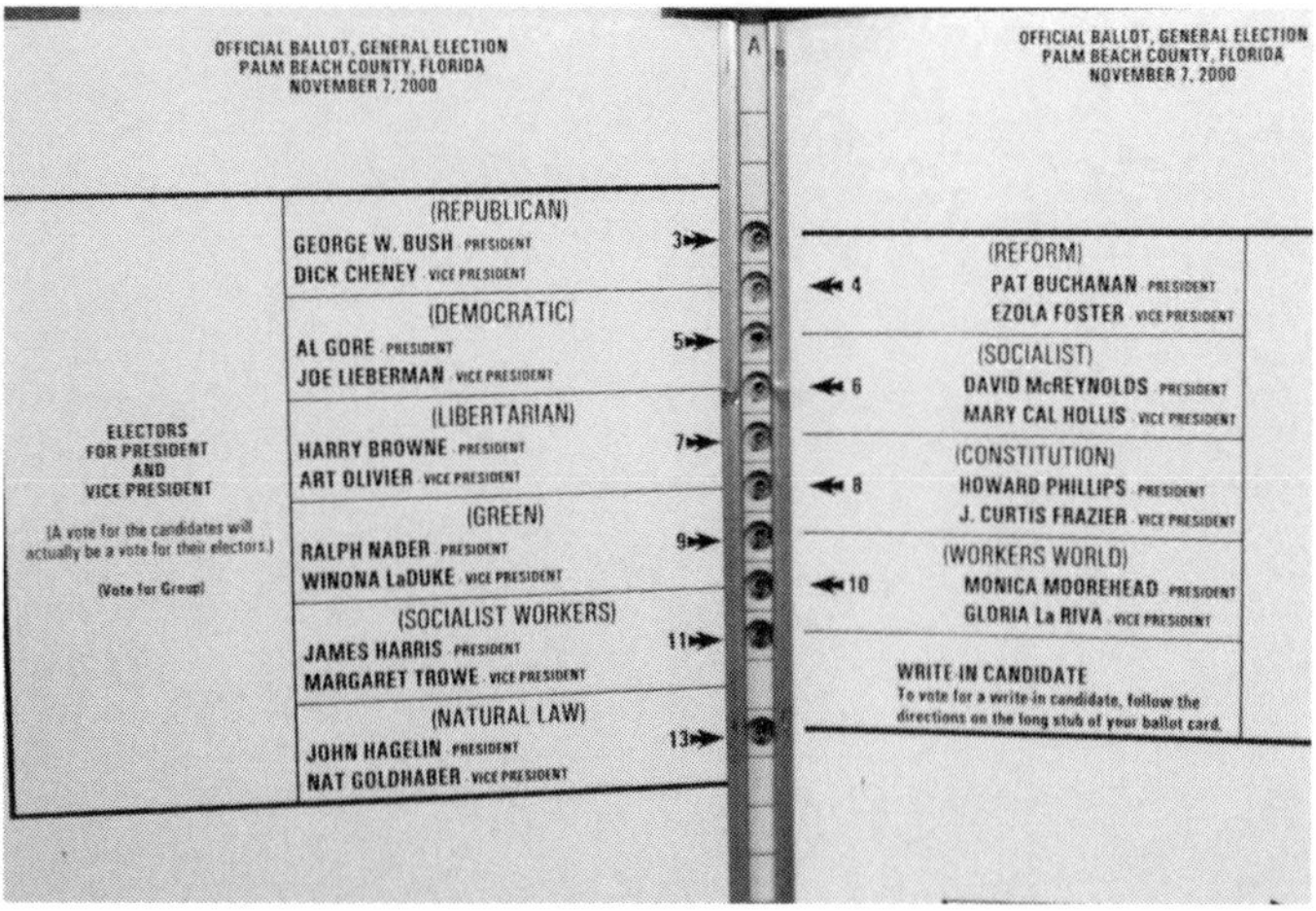

バタフライ・バロットと呼ばれるパンチカード式の投票用紙

ど差がない状態になった。フロリダ州の場合、州法の規定によって0・5%未満の得票差の場合は集計間違いがある可能性をふまえ再集計をすることになっていた。その再集計の方法をめぐって1ヵ月以上に及ぶ法廷闘争が行われたのである。

その間、アメリカのみならず日本でも多くの報道が行われたが、「バタフライ・バロット」と呼ばれるパンチカード式の投票用紙が用いられていたことに多くの人が驚いた。日本では投票したい人物の名前を用紙に書いて投票するが、アメリカではその投票様式は法律違反となる。字が書けない人、読めない人への差別だと認識されるためである（その背景には、南北戦争終結後に黒人の投票権を剥奪するために、南部諸州で識字試験が導入されていたことがある）。フロリダ州ではいくつかの投票所でパンチカード式の投票用紙を導入していた。投票用紙は地域、投票所別に作成することになっており、集計方法も機械集計かオンラインか手作業かなど、地域の財政状況などによって様々に違っていた。

この選挙に際し、穴をあける場所を間違ったと思われる人々の投票をどう扱うかが問題となった。例えば、穴をあけるのを途中でやめたため、その箇所にくぼみができてしまっているような場合、機械が投票者の意思とは違う読み取りをすることがある。では手作業の集計ならよいかというと、開票者による操作が可能になってしまう。手作業の場合、多くはボランティアによって集計作業がなされており、その人々が支持政党を勝たせるために不正を行う可能性があるからである。

◆州裁判所と連邦裁判所における党派性

また、この訴訟を州の裁判所でやるか連邦の裁判所でやるかによって結果が変わることも予想された。当時のフロリダ州の最高裁判所の判事は大半が民主党系だったのに対し、連邦最高裁判所は共和党系の判事が多数だった。そのため民主党は州裁判所に提訴し、共和党は連邦裁判所に提訴した。そして実際、州裁判所は民主党に有利な判決を出し、連邦裁判所は共和党に有利な判決を出した。

フロリダ州法では投票後7日以内に州務長官が結果を発表すると定められていた。当時のキャサリン・ハリス州務長官は、W・ブッシュの選挙対策本部で活動していたこともある党派性の強い人だったが、再集計をしている最中である7日目にW・ブッシュの勝利を宣言した。その宣言は、一面では州法の規定に適っているが、再集計の途中であるためおかしいと問題になった。連邦最高裁判所は最終的にハリスの判断を支持したため、W・ブッシュが当選したのだった。

選挙とは投票しその結果を集計するだけのもので、州ごとの違いや党派性とは無縁と考えられがちだが、この2000年の一連の騒動は、そうでないこともあり得ると多くの人に知らしめた。

◆不在者投票の扱い

2000年の大統領選挙をめぐっては、不在者投票の扱いも問題になった。海外の軍事基地で働いている人などが郵送してくる投票用紙は、定められた期日までの消印があることが有効投票の条件となるが、海外の郵便事情で消印が押されていないものも多く存在する。そうなると共和党に投票する傾向が強い軍人の票が減り、共和党は不利となる。当時W・ブッシュの弟のジェブ・ブッシュがフロリダ州知事で、ハリスが州務長官であったため、消印がないものも有効票として他の用紙とまぜたことが問題となったのである。

また、アメリカの場合、元重罪犯、現在収監中の重罪犯から投票権を剝奪する州があり、フロリダ州はそれに該当した。その重罪犯、元重罪犯の人数を集計すると88万7000人であった。マリファナを吸った者も重罪犯とされていたフロリダ州では、その多くが民主党支持の傾向の強い黒人であったため、彼らがもし投票することができていたらゴアが勝っていただろうという話になる。

アメリカは選挙を重視している国であるが、このような事例を見ると、実はアメリカの選挙のやり方や仕組みは独特でおかしいのではないかという議論が、当時も現在もなされているのである。

2. アメリカの選挙と連邦制・地方政府

◆連邦議会選挙において州の持つ影響力は大きい

アメリカの選挙を考える上では、州・地方政府の存在が非常に重要である。州を基盤に選挙が行われたり、州が結果に影響を及ぼしたりすることが多いためである。

例えば、連邦の選挙である大統領選挙、上院議員選挙、下院議員選挙でも州が基礎単位となっている。上院は各州一律2名が定員であり、州ごとに選挙が行われる。なお、人口58万人のワイオミング州と4000万人弱のカリフォルニア州では1票の格差は存在するが、各州一律2名というのは憲法に定められているため憲法上の問題はない。

下院の定員435名は人口に応じて各州に割り当てられることになっていて、どの州にも最低1人は割り当てられることになっている。日本では、アメリカの下院議員選挙では1票の格差は存在しないと報道されることがあるが、それは半分正しく半分間違っている。

州内では10年ごとに行われる人口統計調査の結果を踏まえて、1票の格差が発生しないように選挙区割りが行われる（厳密にいえば、この人口統計調査にアメリカ国籍を持たない留学生や海外から来た労働者も回答しており、そこでは国籍も投票権の有無も問われないため、実際に投票権を持つ国民以上の人口がカウントされている。トランプ大統領が人口統計調査で国籍を問うことにしたいと主張する背景にはこの問題がある）。しかし、州の境を越えると1票の格差は存在する。先ほど指摘したように、どの州にも最低1議席が割り当てられることになっているが、下院議員の議席数が一つしかないモンタナ州とサウスダコタ州の人口は相当異なるからである。

下院の選挙区割りは州ごとに行われる。州政治で優位に立つ政党が自党に有利になるように区割りを行うのが一般的である。恣意的な区割りも多く、それもあって下院の現職議員の再選率は95％を超える。この恣意的な選挙区割りのことを「ゲリマンダリング」と呼ぶ。マサチューセッツ州知事であったエルブリッジ・ゲリーがつくった選挙区の形が、サラマンダーに似ていたため、ゲリーのサラマンダーとの意味で「ゲリマンダリング」といわれているのである。

このように連邦議会上下両院の選挙において州の影響力は大きい。同様に、第5章で説明したように大統領選挙も州ごとに割り当てられた選挙人の票をめぐって争われており、州の存在感は大きい。

◆外国人や黒人の投票権をめぐる問題点

連邦の選挙のように全米で規定が統一されてもよさそうな選挙であっても、投票資格は州政府が定めることになっているのも、アメリカの面白いところである。とはいえ、連邦政府による一定の規制は存在する。建国当初は投票資格を完全に州政府が決めていたが、徐々に連邦政府の規制が入ってくるようになった。

まず、民主党のアンドリュー・ジャクソン（1829~37年在任）とマーティン・ヴァン＝ビューレン（1837~41年在任）が大統領職にあった1830年代（ジャクソニアン・デモクラシーの時代）に、白人男性については財産権や身分に関する制限が大半の州で撤廃されるなど、民主主義が大幅に進化した。アメリカ国籍を持たない者が連邦の選挙で投票することについては、1928年の判例で裁判所が否定した。言い換えればそれまではアメリカにやってきたばかりでアメリカ国籍を持たない移民も、大統領選挙などで投票することができたのである。そして、その判例は連邦の選挙で外国人が投票するのを禁じただけであり、それ以外の選挙については禁じていない。そのため、例えば学校区長の選挙で外国人が投票することは多くの学校区で認められている。

黒人の投票権についても見てみよう。南北戦争後に定められた合衆国憲法修正第15条で「アメリカ合衆国市民の投票権は、人種、肌の色あるいは以前の隷属状態を理由に、アメリカ合衆国あるいはいかなる州によっても否定または制限されてはならない」と規定している。

注意する必要があるのが、「投票権を制限してはならない」と定めているのであり、「投票権を認めなければならない」と定めているわけではないことである。そのため、例えば財産資格、識字試験、祖父条項などを理由に黒人を排除しようという動きは南北戦争後の南部で活発だった。奴隷解放後の黒人は貧しい人が多く、文字を書けない人も多かったからである。祖父条項とは、祖父がアメリカあるいはヨーロッパで投票権を持っていた人にのみ投票権を認めるというもので、これも黒人の投票権を剝奪することになった。

これらも適切ではないとして、１９６０年代には改定されていく。とはいえ今日でも、投票権を認めなければならないという規定ではないことを理由に、重罪犯・元重罪犯の投票権を剝奪するなどして実質的に黒人から投票権を剝奪しようとする州も存在する。

◆女性と若者の参政権について

女性の投票権はどうだろうか。ジャクソニアン・デモクラシー期に、白人男性の財産権や身分に関する制限は原則撤廃されたが、女性については連邦の憲法では言及されず、州によって異なる状態が続いた。一般的傾向として、男女が同じように作業をする西部の農業地帯では早い時期から女性参政権が認められていた。性別による投票権の制限が禁止されたのは、合衆国憲法修正第19条が定められた1920年であった。

投票権取得年齢は長らく21歳以上だったが、ヴェトナム戦争期に、徴兵される可能性のある人が投票権を持たないのはおかしいとの声が高まり、1971年に修正第26条で18歳に引き下げられた。現在、日本でも投票権を持つ年齢は18歳に引き下げられたが、多くの国で投票権が18歳からとなっているのは、徴兵されることがあり得る年齢を基準に定められているためである。

◆重罪犯・元重罪犯の投票権剥奪問題

このように、投票権について連邦政府による規制は存在するが、今日でも基本的な決定権は州政府が持っている。そのため、州ごとに投票資格に相違が存在するが、その端的な例が、重罪犯・元重罪犯の投票権である。

合衆国憲法修正第14条第2節に「反乱や他の犯罪に参加している者」を除いて投票権を剝奪してはならないという定めがあることが、重罪犯・元重罪犯の投票権剝奪を可能にすると考えられている。アメリカで重罪犯・元重罪犯であることを理由に投票権を剝奪されている人数は、2015年の時点のデータで585万人程度（人口の2・5％）であり、そのうち黒人は223万人程度（黒人人口の7・7％、13人に1人）とされている。犯罪学の知見によると、黒人男性のうち約32％が一生のうち一度は刑務所に入り、そのうち30％が一時的あるいは恒常的に投票権を失うとされる。

一度の重罪で永久に投票権を剝奪される州もあれば、そうでない州もある。そして投票権を剝奪された人は特定の州・地域に集中している。それは、投票権の扱いが州によって異なることに加えて、第5章で説明したように重罪の定義が州によって大きく違うからである。

さらに、自身の居住する州で重罪になった場合は投票権が剝奪されるが、他州で重罪になった場合は剝奪されない州もあるなど、州によって重罪犯・元重罪犯の扱いが違っている。そして投票に来た人が、かつて他州で刑務所に入っていたことがあるか、それが重罪によるものか否かなどの判断は困難であるため、選挙管理委員会や投票所などで適切な対応が取られないことが多くなる。知識不足や訓練不足によって判断を誤る場合も多いが、投票所の人間が意図的に違った情報を投票者に与えて投票させない事例も存在し、不当に投票権を侵害されたという訴訟も頻繁に起こっている。

ある研究は、1960年代以降の連邦の選挙について、もし投票権が復活していれば重罪犯・元重罪犯の約3分の1が投票し、選挙ごとに70%から90%の割合で民主党候補に投票すると推定している。そして1970年から1998年の間に少なくとも6回の選挙で民主党が逆転勝利し、1986年から2000年（あるいは2002年）まで民主党が常に上院を支配し続けたはずだと結論づけている。この分析でも見て取れるように、重罪犯・元重罪犯の投票権剥奪は重要な争点となっている。

先ほど例にあげた2000年大統領選挙で、フロリダ州で投票権を剥奪されていた重罪犯・元重罪犯は88万7000人だったとされる。もし彼らの3分の1が投票し70%が民主党に投票していれば、W・ブッシュではなくゴアが勝利していたと予想できる。

このように投票権の規定を定めているのが州政府であり、その規定によって大統領選挙の結果が変わることを不思議に思うかもしれないが、アメリカでは州政府が投票権を管轄するのは当然のことと考えられているのである。

◆政治的に実施される選挙管理

選挙管理も州以下の政府が実施している。アメリカでは州務長官が選挙管理の責任者であり、全50州のうち35州が選挙で州務長官を選んでいる。超党派、無党派で選挙管理を行う州もあるが、二大政党の人物両方を選挙管理委員会に加える州は5州だけである。地方レベルでは、超党派による選挙管理委員会は15％、無党派による選挙管理委員会は3分の1程度である。多くの国で中立的に行われるのが当然とされる選挙管理が政治的に実施されるのがアメリカの特徴である。それが２０００年大統領選挙の結果にもつながったのである。

またアメリカでは投票所運営の大部分をボランティアに依存する場合がある。有権者資格の確認や暫定投票の管理、投票用紙の多言語表記や多言語対応、障がい者支援など、様々な事柄をボランティアに委ねている。南北戦争後に識字試験で黒人の投票権を剝奪したことの反省から読み書き能力に関係なく投票できるような投票方式を導入することや、選挙区内で5％以上の人が使用している言語についてはその言語の投票用紙や投票支援を準備しなければならないことなどが連邦法で定められているが、ボランティアに運営を委ねている現状ではそれらが実施困難な場合が多い。その状況を改善するのは州政府の役割であるが、積極的に行わない州も多い。

さらに、投票の際に身分証明書として有権者ＩＤを求める州も存在する。日本では、郵送されてくる投票案内用紙を持っていれば投票所で本人確認は行われないため、他人に成りすまして投票するのも不可能ではない。アメリカでもそれは同様で、そのような不正が行われないように公的機関が発行する身分証明書の提示を求める法律を定める州が存在する。ただし、この規制が不正を防ぐためという理由だけに基づいているのかには疑問が残る。公的機関が発行する写真付きの身分証明書を持っていない人は多い。特に高齢者、有色人種、障がい者、低所得者、若年層の所持率が低い。このうち、有色人種、障がい者、低所得者、若年層は民主党に投票する傾向が強い。言い換えるならば、有権者に政府が発行した身分証明書の提示を求める動きは、民主党に投票する可能性を持つ人々の投票を妨害しようという意図がある可能性を秘めている。

共和党は不正投票防止のために有権者ＩＤが必要と主張するが、その立場で一貫しているわけではない。在外投票をする際は、有権者ＩＤによる本人確認は実施できない。そのような場でも不正が行われる可能性がある以上、国内の投票所だけで有権者IDが求められるのはおかしいという議論が出てくる。実際、民主党は、投票に対する障壁除去、投票率増大などを重視する立場から、有権者ID法に反対している。

この議論は抽象的な次元で考えるなら、両党の言い分ともに根拠がある。だが、実態としては両党ともに自党に有利な状況をつくり上げようとしているといえよう。

◆「投票支援法」の効果は

選挙管理に関しては、連邦政府も2002年に「アメリカ投票支援法」を制定している。これは、2000年大統領選挙のフロリダ州での出来事を受けて作られたもので、パンチカード式投票装置やレバー式投票装置を、同法の定める基準に合致する投票装置に置き換えるための補助金を州に交付すること、連邦選挙支援委員会の創設、選挙事務に関する最低限の基準の制定などを目的とした。この法律によって、新しい機器、特に電子投票機の導入が進み、票の計測が正確になった。

だが、弊害も発生している。費用の一部を連邦政府が補助するとはいえ、残りの費用は州の負担となるため、導入する機械の数を最小限に留めたり、人件費の削減、コスト削減を目的として投票所を集約するなどの動きにつながった。その結果として投票所の数が減り、自動車を持っていない人などの投票率が下がった地域もある。

3. 投票率の低さ

◆なぜアメリカは投票率が低いのか

アメリカでは選挙が重要と考えられているにもかかわらず、投票率が低い。この点をどのように考えればよいだろうか。

そもそも、投票率が高い方がいいのかという問題も、実は検討に値する。日本でも一部の宗教団体や労働組合に関与する人の投票率が高くなっているが、彼らの政治意識が特段に高いとは限らず、単に動員されているだけという場合も多い。また国民の多くが世の中に不満を感じている場合は投票率が上がる可能性もある。このように考えると、投票率の低さを問題視する必要はないという議論にも一理あるだろう。

このような評価はさておき、アメリカでは大統領選挙時でも投票率が50%程度に留まるのはなぜだろうか。

投票率の低さの理由を説明できる要因はいくつもある。制度的な要因の一つとして、選挙が多すぎることがある。アメリカでは50万人以上の公職者を選挙で選んでおり、通常その選挙は平日に行われる。一日のうちに、大統領、上院議員、下院議員、州知事、州議会議員、州務長官、市長、学校区長……などと数多くの投票が行われるような日は、投票所の前に長蛇の列ができて、投票できるまで数時間待ちということもある。大統領選挙については、選挙日を休日とする州や地方もあるが、そうでない地域もあるため、平日に仕事を休んで、あるいは仕事に遅刻してまで選挙に行くのを避ける人が多いのも頷ける。

二つ目の理由は、制度的要因として有権者登録制度があることがあげられるだろう。日本と違ってアメリカには住民票がないため、日本のように選挙前に自動で案内が送られてくるのではない。選挙に行きたい場合は、選挙前に自分で有権者登録を行わなければならない。それに関連して、陪審員制の煩わしさも理由の一つである。陪審員を選ぶ際にも有権者登録名簿が活用されるためである。陪審員に絶対になりたくない人々は有権者登録をしない場合もあり、これが投票率を下げているという研究もある。

有権者登録制度が投票率を下げていることの証左となったものに、「モーターボーター法」がある。自動車の運転免許の更新などの手続きと同時に有権者登録を行えるようにした法律だが、その導入に伴って投票率が上がったからである。

◆「1票で政治が変わる」ことはない

制度的要因とは別に、人々が合理的判断に基づいて行動する結果として、投票率が低くなっているという議論もある。1票の差によって選挙結果が変わることは通例ないからである。時折、「あなたの1票で政治が変わる」というようなスローガンを見ることがあるが、誰かの1票で政治が変わるというのは独裁の定義であり、民主政治とはむしろ、特定の人の1票で政治が変わることのないようにするための政治体制である。つまり、自分が投票に行っても行かなくても、選挙結果も変わらなければ、自分が政治から受ける影響も変わらない。そう考えれば、投票に行かないのが合理的だと考えることもできる。

それに加えて、アメリカの場合、多くの州で大統領選挙や上院議員選挙での二大政党の勝敗は明白である。例えば、ニューヨーク州やカリフォルニア州ではほぼ確実に民主党が勝ち、アラバマ州やオクラホマ州では共和党が勝利する。このように、自らの投票いかんにかかわらず結果が変わらないのであれば、選挙に行く人の方がむしろ不思議だともいえる。

下院の選挙に関しても、現職候補が有利になるように選挙区割りが行われる（ゲリマンダリング）などの要因により、現職候補が立候補すれば95％以上が再選される。そのようなことを考えれば、わざわざ選挙に行きたくないと考える人がいてもおかしくない。民主主義の権化のように振る舞うアメリカで投票率が低いのは、実はさほど不思議ではないのである。

本章ではアメリカの選挙に関する不思議な点について様々に紹介してきた。選挙といえば、勝ち負けにばかり注目が集まりがちだが、投票権についての考え方や選挙管理の特殊性などについても注目すれば、選挙はより一層興味深いものとなるはずである。

第7章 二大政党の国アメリカ

1．アメリカの政党の「不思議」

アメリカが民主党と共和党から成る二大政党制の国であることは、よく知られている。世界に先駆けて民主政治を制度化した国、アメリカの民主政治を活性化させているのが、二大政党による競争である。アメリカの大統領選挙で二大政党の候補者たちが激論を交わしているのを見ると、日本でもあのように民主政治を活性化してほしいと考える人がいるだろう。アメリカの政党政治は、一部の人によって理想視されているようである。

だが、それと同時に、アメリカの政党政治にはよくわからない点があるとの印象を持つ人も多いのではないだろうか。日本の政党政治とアメリカの政党政治の違いを感じていただくために、二つほど例をあげたい。

◆2016年大統領選挙に見る「奇妙な現象」

一つ目の例として、2016年のアメリカ大統領選挙を取り上げる。この選挙では、二大政党である共和党・民主党それぞれにおいて、日本政治についての一般的理解を前提に考えると奇妙な現象が生じていた。

まず、共和党候補に決まったドナルド・トランプは、党の主流派が推していた候補では決してなかった。主流派は、第41代大統領を父に、そして第43代大統領を兄に持つ元フロリダ州知事のジェブ・ブッシュ、あるいは、フロリダ州選出の上院議員であるマルコ・ルビオを推していた。だが、両者がトランプによって口汚くののしられ、選挙戦から離脱すると、オハイオ州知事のジョン・ケイシックや、ティーパーティ派で主流派とは距離を置いていたテッド・クルーズを主流派は推し始めた。だが、彼らの善戦むなしく、トランプが共和党候補に選出された。

共和党主流派とトランプの対立はここでは終わらなかった。主流派は、トランプを党の候補にしないために、全国党大会で他の候補を勝利させるための裏技はないかと画策した。また、ジョージ・H・W・ブッシュ、ジョージ・W・ブッシュという元大統領2人が全国党大会への参加を取りやめるなど、トランプへの支持を行わない事態になった。このように、トランプが主流派からの支持を得られない状況で大統領候補に選ばれたことを考えると、本選挙の際にトランプが共和党勢力を結集させるのは難しそうだと思われた。だが、選挙後の出口調査の結果を見ると、投票に行った共和党支持者の大半がトランプに投票していた。

他方、民主党の候補として選ばれたのは、ヒラリー・クリントンだった。クリントンは民主党の穏健派を代表する人物であり、ファースト・レディ、上院議員、国務長官などの要職を歴任した民主党の重要人物だった。クリントン以外の党の有力者はそもそも大統領選挙への出馬を控える事態となり、２０１６年大統領選挙はクリントンのための選挙だという雰囲気が生まれてもいた。

だが、クリントンの政策的立場が穏健にすぎるとして立候補を表明した人物もいた。それが民主社会主義者の立場を表明するバーニー・サンダース上院議員である。サンダースは大学生を中心とする一部の若者の熱狂的支持を集め、その現象はサンダース旋風とも評された。サンダースは代議員数でクリントンの勝利が確定的になった後も選挙戦を続け、左派的な問題提起を続けた。

このサンダース旋風も、日本政治とのアナロジーで捉えようとすると理解が困難な現象である。まず、サンダースは、実は民主党に有権者登録をしておらず、長らく無所属の連邦上院議員として活動を続けていた一匹狼だった。予備選挙が佳境に入る中、サンダースもようやく民主党に登録することになったものの、大統領選挙終了後は再び党籍を無所属に変更した。そして、彼は2020年大統領選挙で再び民主党候補となることを目指して出馬を表明している。このように党籍を持たない政治家が党の大統領候補となることを目指して出馬し大きな支持を集めることなど、日本で政権獲得を目指す政党においては考えにくいだろう。

また、サンダース支持者の中には、本選挙の際にクリントンに投票するのを拒否した人、クリントンに対する抗議の意思を込めてトランプに投票するとメディアで発言する者もいた。投票に行かなかったサンダース支持者の一部が接戦州でクリントンに投票していれば、クリントンが勝利していただろう。共和党支持者が予備選挙段階で強い嫌悪を表明したトランプに投票したのとは対照的な現象だった。

以上の例から、アメリカでは党主流派が推した候補が予備選挙で敗北し、主流派と明確に立場を異にする候補が党の候補となることがあり得ること、そして、党の候補が決まった後にも、元大統領のような党の重要人物が党の候補を推さないこともあることがわかる。また、サンダースの例からわかるように、アメリカにおいては党員という概念が曖昧であり、党に登録をしていない人物が党の大統領候補になる可能性すらあるのは驚きだろう。

それに加えて、この例からは二大政党の性格の違いも見て取ることができる。共和党支持者が、それまでさんざん不満を述べていたトランプに対して最終的に投票したのに対し、民主党は予備選挙段階での対立が後を引き、本選挙で結果的に対立候補を利するような行動をとる人々がいたのである。

なお、念のために付言しておけば、アメリカの二大政党には党首は存在しない。ワイドショーのコメンテーターで、アメリカの大統領候補となった人物のことを「党首」と表現した人がいたが、それは誤りである。

◆予算成立をめぐる大統領と議会の対立

もう一つ注目すべき事例として、トランプ政権の予算問題を取り上げたい。アメリカの場合、予算は法律として通過する必要があるので、連邦議会上下両院で同一内容の法案が通過し、それを大統領が承認して成立する。この結果、大統領の所属政党と連邦議会の多数党が一致しない分割政府の状況下では、予算が成立しない事態がこれまでにも発生していた（第1章参照）。

だが、トランプ政権の最初の2年は、議会の上下両院の多数党も大統領の所属政党も全てが共和党という統一政府の状態にあった。にもかかわらず、トランプがアメリカ＝メキシコ国境の壁の建設にこだわり、そのための予算を計上していない予算案には反対すると宣言するなどした結果、統一政府状態で予算が通過しないという異常事態が発生したのである。

日本に代表される議院内閣制の国では党議拘束が存在するため、内閣が予算案を出してきた場合には議会がそれを通過させるのが一般的である。だが、アメリカの場合は予算のような重要事項についても、党議拘束が効かない（存在しない）ために、統一政府の状況下ですら予算が成立しないことが起こり得るのである。

これらの事例を踏まえて、本章では、アメリカの二大政党の特徴を説明する。それに加えて、二大政党間の相違についても、説明を試みたい。

2. 現代アメリカの保守とリベラル

◆アメリカにおける保守とは？

アメリカの二大政党について、民主党はリベラル、共和党は保守の立場に立つといわれている。今日ではアメリカ国民のおよそ4割が自らを保守と自任しており、リベラルと自任する人は2割強と少ないのが現状である。

しかし、保守やリベラルとはどういう意味かよくわからないというのが、多くの人の実感だろう。実際、アメリカにおける保守とリベラルとは何かを説明するのは、非常に難しい。

まずは保守について考えると、何かよいものが過去にあると想定し、その過去に立ち返ることが保守という場合の基本的前提といえる。では、アメリカの保守が立ち返るべき過去とは一体何かと考えれば、独立宣言と合衆国憲法、そしてそれらで謳われた自由や民主主義、平等などの、アメリカ的信条と呼ばれる理念になるだろう。

だが、独立宣言と合衆国憲法、アメリカ的信条を守る人のことを保守と呼ぶのは、おそらく適切ではない。リベラルの立場に立つ人々もこれらを守ろうとするためである。アメリカの場合、独立宣言と合衆国憲法、アメリカ的信条を重視することは国民的なコンセンサスになっており、そのような価値観を基に保守を定義するのはおかしい。アメリカで保守派を、特定の思想やイデオロギーに基づいて説明することには無理があるのである。

◆アメリカにおけるリベラルとは？

リベラル派の基礎は、１９２９年の大恐慌を受けて、フランクリン・ローズヴェルト政権（１９３３～４５年）下でニューディール政策が実施された時期につくられた。当時ニューディール政策を推進した人々は、大恐慌から脱するために政府が積極的な役割を果たすべきだという立場をとっていた。彼らは市場や自己責任を過度に重視する伝統的なアメリカ政治のあり方とは違って進歩的な政策をとっていると考え、自らをリベラルと称するようになった。その立場が今日でも引き継がれているのである。

ニューディール後、民主党が優勢な時代が続いた。第二次世界大戦後の経済繁栄の基礎を築いた民主党に対する支持が維持されたためである。そして、１９６０年代に民主党政権が実施した社会福祉拡充や公民権推進に賛同した人々も、リベラル陣営に入っていった。

アメリカのリベラルは、理念的に見ればヨーロッパの社会民主主義に似た立場である。だが、そのような理念とは必ずしも関係なく、政治的に優位に立つ民主党と提携関係を持とうとした様々な勢力が合流して、「自称リベラル」が増えていった面もある。リベラル派を構成するのは、ニューディール的な大きな政府の立場をとる人々や、経済的な不平等に焦点を当てる社会福祉拡充派、人種や民族、女性や同性愛者などのアイデンティティを承認させ、権利を認めさせようとする立場の人、環境保護などの新しい価値観を体現している人たちである。

それに対して、アメリカで保守を自称するのは、このようなリベラル派が示す立場に反発する人々である。もちろん、彼らも黒人や女性の権利を否定しようとしているのではなく、リベラル派の主張が時折行きすぎていると考え、それに歯止めをかけようとしているのである。彼らは、リベラルの立場をとる民主党に対抗し、共和党の下に結集している。保守とリベラルの対立が、それぞれ共和党、民主党という二大政党に重ねて議論される傾向があるのは、このような事情があるためである。

ヨーロッパの政党がイデオロギーに基づいて組織される綱領政党なのに対し、アメリカの政党の性格をイデオロギーや思想と関連づけて説明するのは難しい。むしろ、アメリカの保守とリベラルの立場を理解する上では、このような歴史的背景に立ち返る必要があるのである。

3. 政党について

◆地方政党の連合体としての性格

アメリカの政党は、ヨーロッパの比例代表制を採用している国の政党とは大きく性格を異にしている。比例代表制を採用している国では、諸々のイデオロギーと政党の政策的立場が一致していることが多い。それに対してアメリカの政党は、プラグマティックに多くの票を獲得しようとしてイデオロギー的な一貫性に乏しいのが特徴である。

アメリカの政党は、様々な意味での「連合体」としての特徴が強い。第一に、アメリカの政党は、「地方政党の連合体」としての性格を持っている。アメリカでは、早い時期から民主的な選挙が実施されてきた。様々な交通手段が登場する前から選挙政治が行われていたため、選挙区を大きくすることができず、小選挙区制で選挙を行うのが自然だった。また、大統領選挙は全米規模で行われたことから、大統領選挙で争う二大政党が全国的に大きな存在感を示すようになった。

今日の二大政党は南北戦争期から存続している。当時から、民主党、共和党ともに、選挙区ごとに政党組織を発達させてきたため、その性格は地域によって異なっていた。アメリカでは連邦議会選挙の際にも候補者が選挙区ごとに予備選挙や党員集会で決定されており、連邦の党本部は候補者の公認権を持たない。そのため、同じ政党名を冠していても、地域が異なれば掲げる政策に大きな違いがあっても不思議でない。このように強い自律性を持つ地方政党が、大統領選挙の時には一緒になって行動する。かくしてアメリカの政党は地方ごとの自律性が高く、地方政党の連合体としての特徴を持つのである。

◆利益集団の連合体という性格

第二に、アメリカの政党は、「利益集団の連合体」という特徴も持っている。比例代表制を採用している国では、例えば環境保護を重視する政党なども一定の議席を確保することが可能である。だが、小選挙区制を採用するアメリカでは困難である。自らの利益関心の実現を目指す人々は、政党ではなく利益集団を作って政治家や裁判所に働きかけるのが合理的となる。アメリカの二大政党の相違は、どのような利益集団と提携関係に立っているかによって説明できるのである。

民主党は、労働組合、黒人やエスニック集団、貧困者団体、女性や同性愛者の権利の実現を目指す団体、環境保護団体などを支持基盤としている。共和党は、労働組合と対立するような企業経営者や富裕者層、大規模農園経営者、宗教右派などを支持基盤としている。これは、民主党にはニューディールの時にローズヴェルト大統領とニューディールの支持者らが、そして1960年代以降にアイデンティティ・ポリティクスの実現を目指す人などが加わり、共和党にはそれに反対する人が加わったという経緯があるためである。

◆党内に抱える利害対立

このような二大政党の成り立ちを考えれば、アメリカで政党規律が弱い理由がわかるだろう。むしろ、党内で様々な利害対立を抱えていることが少なくない。

例えば、民主党連合の中でも、マイノリティ集団と労働組合の利益関心は対立している。労働組合員は賃上げを要求するが、黒人や移民は低い賃金でよいので働く機会を求めた。このようなマイノリティの働き方は、労働組合の利益関心と反する面がある。そもそも、アメリカの労働組合は古い歴史を持っており、白人を中心に構成されてきたので、黒人や移民を労働組合に入れたくない人も多かったのである（近年ではマイノリティを取り込もうとする労働組合も増えている）。

共和党連合も同様に利害対立を抱えている。企業経営者や富裕層の多くは、経済活動に政府が介入してくることを嫌い、いわゆる「小さな政府」の立場をとる。他方、宗教右派は、公立学校で祈りの時間を制度化するとか、人工妊娠中絶を行うことに規制をかけようとするなど、政府の介入を求める傾向が強い。ある意味、宗教右派は政府の役割の増大を求めているのである。

第1章の図表2は、連邦議会で党主流派が示した政策方針に基づいて投票した人の割合を示したものである。１９７０年代を見ると、上下両院、二大政党ともに、党主流派の方針に従って投票した割合は60～70％で、日本流にいえば3割以上が造反していた。今日では状況が変わっており、２０１５年には、上下両院ともに二大政党の造反議員は1割程度に減っており、近年では政党規律が高まっている。とはいえ、日本やヨーロッパと比べると、党主流派の決定に対する造反議員が1割いるというのは、特殊な状況である。

◆メディアの発達で進む全国政党化

アメリカで政党規律が高まってきた背景には、マスメディアの発達がある。

アメリカの選挙では頻繁にマスメディアが利用されるようになっているが、メディアを使うとなれば、地方政党単位で選挙活動をするのは非効率である。例えば、ニューヨーク市内には連邦下院議員の選挙区が複数存在する。その中で、いずれかの候補が自らを売り出すために多額の費用を投じてテレビ広告を打ったとしても、大半の人には無意味なメッセージになってしまう。テレビ広告は、より広域で作る方が効率的である。このような考慮が、全国政党化が進む背景にある。

全国レベルで民主党、共和党が統一的なメッセージを出すならば、各候補はそれに反する行動をとりにくくなり、結果として政党規律は高くなっていく。全国レベルでテレビ広告を打つために要する費用は莫大になるため、資金を提供する人々の発言力は大きくなる。一般的には、イデオロギー的志向の強い人の方が政党に対する献金を積極的に行う傾向がある。その結果、民主党がよりリベラル＝左派的、共和党が保守＝右派的になっていき、アメリカ政治の分極化傾向が鮮明になっていくのである。

◆分極化と対立の激化

図表10は、1970年代、1990年代、2010年代の二大政党の政治家の政策的立

図表10　連邦議会議員のイデオロギー的分極化

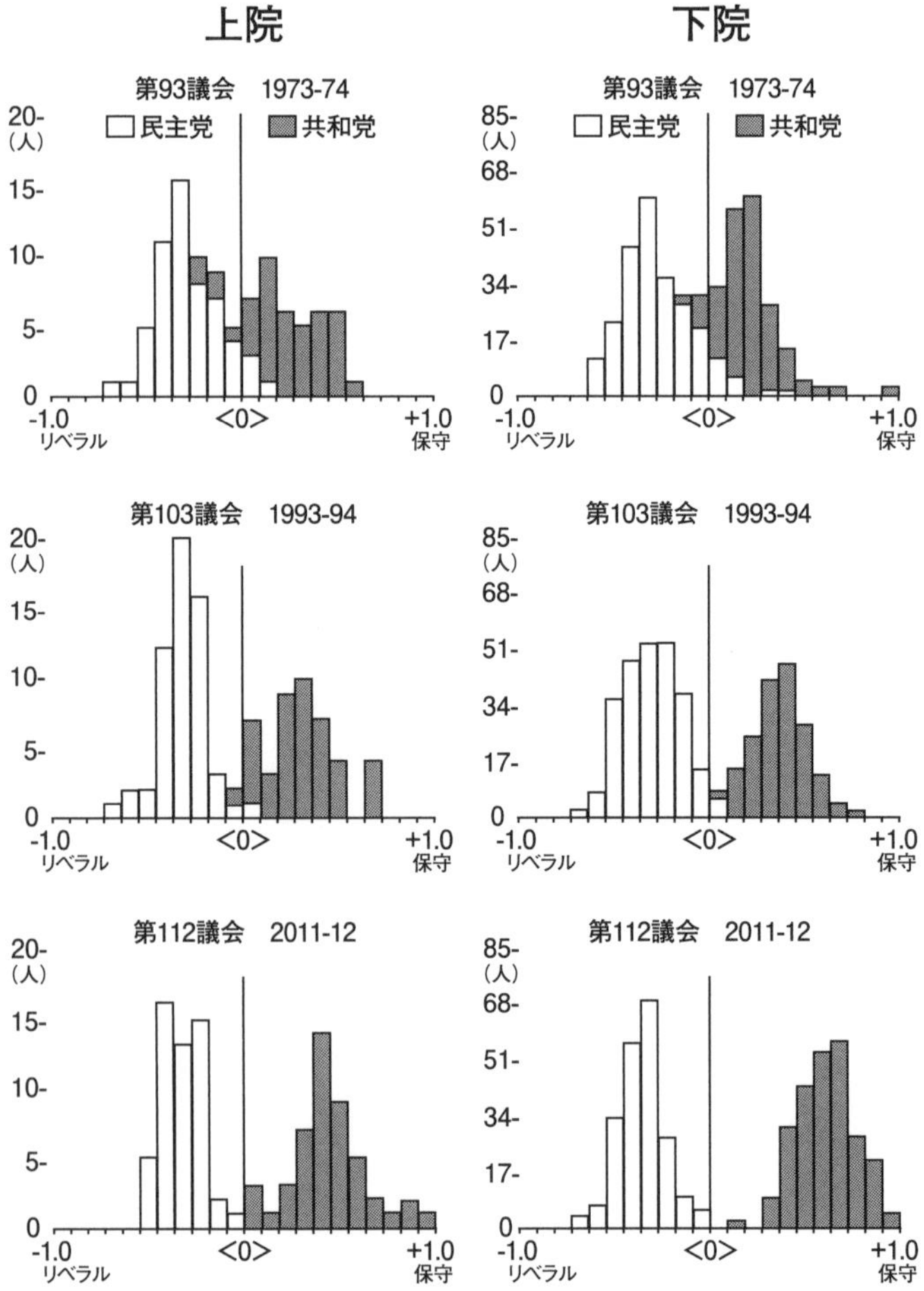

(出典)Pew Research Center. <http://assets.pewresearch.org/wp-content/uploads/sites/12/2014/06/FT_14.06.13_congressionalPolarization.png>

場を示したものである。民主党が左派的、共和党が右派的という傾向は一貫しているが、1970年代には、穏健なところでイデオロギー的立場を一致させている政治家が二大政党に存在した。だが、2010年代に入ると民主党の政治家は左派的、共和党の政治家は右派的傾向を強めるようになり、穏健な政治家は減少し、イデオロギー的立場が一致する人は存在しなくなっている。

イデオロギー的分極化を進める要因としてしばしば指摘されるのが、予備選挙・党員集会の存在である。アメリカでは、候補は選挙区単位で行われる予備選挙か党員集会で決定される。しかし、予備選挙や党員集会は平日に行われることが多く、仕事を休んでまで参加する人は少ない。参加する人々は、イデオロギー志向の強い活動家が多いため、民主党候補は左派的、共和党候補は右派的傾向の強い人々の意向を強く反映するようになるのである。

とはいえ、候補者が予備選挙や党員集会で長らく選ばれてきたことを考えると、近年の分極化傾向をこの要因だけで説明することはできない。近年ではメディア選挙が主流となった結果、選挙費用を提供するイデオロギー的志向の強い団体の影響力が増大したことが、70年代に比べてイデオロギー的分極化が進んだ大きな理由だと考えられる。

◆南部の保守派は民主党支持から共和党支持へ

それに加えて、南部の保守派が民主党から共和党に支持政党を変化させたことも重要な要因である。

ニューディール連合では、南部の人々が大きな存在感を示していた。近年でも、南部諸州が南北戦争の南軍の旗を掲げて問題になることが時折あるほど、南北戦争はアメリカに大きな傷を与えた。その経験から、南部では奴隷解放をしたエイブラハム・リンカンの共和党を忌避した時代があり、民主党が長い間一党優位を築いていた。だが、南部の保守派は共和党が嫌だから民主党を支持するものの、経済的に困窮している黒人のために自分たちの納めた税金が使われるのを嫌悪していた。

だが、とりわけ1970年代以降、南部の保守派は民主党から離脱していく。1964年大統領選挙で公民権法を批判したバリー・ゴールドウォーターがきっかけをつくり、リチャード・ニクソンやロナルド・レーガンが積極的に働きかけることで、南部の保守的な人々は民主党から共和党に支持政党を変えていった。

かくして、イデオロギーと政党の配列がより対応するようになった結果として、二大政党の分極化傾向が鮮明になった。伝統的に民主党が強かった南部は、今日では共和党の地盤になっている。

◆拮抗する二大政党の勢力

近年のアメリカの政党政治は、分極化に加えて対立も激化している。

二大政党の対立が激化した背景に、両党の勢力が比較的均衡するようになったことがある。政党間の勢力が均衡しておらず、一方の政党が圧倒的に強い状況にあると、二大政党間で政治的な協力や妥協を比較的容易に行うことができた。これは、自由民主党が一党優位を確立していた、いわゆる55年体制下の日本でも見られた傾向である。特定の政党が圧倒的に強い状況では、その政党が譲歩することが相対的に容易になるためである。ニューディール以降、アメリカでは連邦議会で民主党が優位に立つことが当然視された時期が続いたため、ある程度の協力が二大政党間で成立し得たのだった。

だが、1990年代になって、連邦議会選挙でも二大政党の勢力が伯仲するようになると、両政党は他党と違うことを示すために、対立状況をつくろうとする。政策の基本的方向性についての立場が類似しているような場合であっても、些末な違いをあたかも本質的な相違であるかのように取り上げて、対立を演出するのである。

このように、近年のアメリカ政治では二大政党の分極化と対立激化という現象が、同時に発生しているのである。

◆利益集団の連合体としての民主党

これまで見てきたように、アメリカの二大政党は諸々の利益集団の連合体であるとともに、民主党はリベラル、共和党は保守の政党である。利益集団の連合体とイデオロギー、この二つの側面が、民主党と共和党にそれぞれ独自の影響を与えている。

大まかに言うと、ニューディール期から比較的最近までの間、民主党は利益集団の連合体としての性格がより強かったのに対し、共和党はイデオロギー志向が強かった。民主党連合が、例えば労働組合と移民集団の仲が悪いといったように同床異夢の傾向がより鮮明なのに対し、共和党支持の団体は比較的最近までは大同団結していた。

まず、民主党連合については、ニューディール以降、とりわけ連邦議会選挙では民主党が優勢だったので、各種利益集団は不満をある程度感じつつも、勝ち組連合に加わり続けようとした。アメリカ経済が成長を続けていた1970年代まで税収も増えていったので、利益分配を行うことが比較的容易だった。労働組合にせよ、移民団体にせよ、民主党という勝ち馬に乗ることで、多くの利益を分配してもらえる地位にあり続けようとした。

民主党連合を構成する団体は、一部の知的エリートを例外として、リベラリズムとは何かというような理念的検討を避けた。利益集団間の相違を明確にする危険を伴う問いをたてることを避け、利益分配と権利拡充を通して恩恵に与《あずか》ろうとしたのである。

民主党の支持団体を構成する環境保護団体やフェミニスト団体などには、妥協しない活動家が多いというイメージを持つ人もいるかもしれない。これらの集団は、民主党が勝って利益関心は実現されるという前提に立って、他の集団よりも多くの成果を得ようとしてきた。その結果、党を分裂させるような大きな喧嘩をしないものの、小競り合いは続き、民主党連合は利益集団の連合体としての性格を強く持ち続けた。

◆イデオロギー志向の共和党

民主党優位の時代、共和党の支持団体は、まずは保守勢力と共和党の劣勢挽回を目指す必要があった。そのためにまず目指したのは、小異を捨てて保守の大同団結を図ることであった。

例えばウィリアム・バックリーJr.が1955年に創刊した『ナショナル・レビュー』と

いう雑誌は、いかに民主党とリベラル派が間違っているかを強調し、保守の重要性を主張する記事を掲載した。その際、保守勢力内部でのイデオロギー論争を徹底的に回避した結果、保守派が大同団結する場となった。

保守勢力の結集に際しては、政策研究機関であるシンクタンクも大きな役割を果たした。ブルッキングス研究所に代表される伝統的なシンクタンクは、しばしば「学生不在の大学」と呼ばれ、専門的な研究を行った上で研究書を出して政策提言を行うことが多かった。他方、アメリカン・エンタープライズ研究所やヘリテージ財団などに代表される保守的なシンクタンクは、政策提言を中心とする数頁のポリシー・ペーパーを出すことを重視した。これらの機関は伝統的なシンクタンクとは異なる活動をすることで、保守派にアイデアを提供し、活動の機会をつくった。

共和党連合が大同団結する上で、FOXニュースやトークラジオに代表される保守派メディアも大きな役割を果たした。第8章で詳述するように、保守派メディアは、オピニオン番組を中心として編成を行っている。オピニオン番組の場合は、出演者が自らの政治的見解を表明することが目的なので、報道の中立性や客観性は求められない。保守的なメディアは、庶民の日常的感覚に基づいて民主党政権の批判を繰り返し、視聴者の共感を得ていった。

これらの結果として、民主党連合という勝ち馬に乗らなかった人々が、保守というシンボルの下に集結した。保守という言葉の意味は不明確ながらも、保守という理念を掲げて団結したため、共和党の方がイデオロギー志向が強くなった。

利益集団の連合体としての民主党、イデオロギー志向の共和党という性格の違いは、今日でもある程度残っている。例えば、2016年大統領選挙の際、クリントンが大統領候補に確定した後も、サンダース支持者がクリントン批判を続け、投票に行かない人もいたことは民主党の性格を表している。それに対して、共和党については、トランプに不満を感じた人であっても、最終的にはトランプに投票した人が多かった。選挙の時に、民主党はバラバラ、共和党は意外にまとまっているのは、このような歴史的経緯を考えれば理解可能かもしれない。

◆保守革命の完了?

なお、近年のアメリカでは、以前は大同団結していた共和党でも内部対立が表面化している。その理由は、民主党優位の時代が終わり、共和党が権力を持ったことにある。

ニューディール以降、民主党が優位に立っていて、仮に大統領選挙で共和党が勝っても連邦議会の多数を民主党が占める状態が続いていた。その状況を変えたのが、1994年中間選挙の際に起こった、いわゆる「ギングリッチ革命」である。選挙に際し、当時共和党院内幹事を務めていたギングリッチらは、「アメリカとの契約」という公約集を出した。アメリカでは連邦議会選挙の時に二大政党が公約集を出すことはなかったが、ギングリッチは小さな政府の実現を中心に据えた公約集を出し、その結果、共和党が圧勝した。それ以降、連邦議会、とりわけ下院では共和党が勝ち続ける状態となった。

大統領については2001年1月20日まで民主党のビル・クリントンが務めたが、2000年、2004年の大統領選挙では共和党のW・ブッシュが勝利した。とりわけ2004年の大統領選挙の際には、社会的保守派が礼拝日に教会に来た有権者をチャーターしたバスに乗せて期日前投票をさせるなどして、共和党は予想よりも多くの票をとった。この状況を受けて保守の論客の中には、保守革命が完了したとか、共和党の恒久的多数派体制が確立したという人もいた。

◆権力を持った保守・共和党の苦悩

このような変化を受けて、共和党が連邦議会上下両院と大統領職を支配するようになると、それ以前の民主党と同様の問題で苦悩するようになった。具体的な政策への対応をめぐって対立が顕在化したのである。責任のある立場に就くと、何をやり、何をしないかの判断をしなければならない。ニューディール以後に民主党内が揉めたのはまさにそのためであり、保守が大同団結できたのは民主党の方針に反対していればよかったからだった。だが権力を持つ側に回ると、どのような政策を実現させるべきかをめぐり争いが顕在化したのである。

レーガン以前、共和党内には「経済的保守」「社会的保守」「軍事的保守」と呼ばれる人々が集っていた。だが、小さな政府を目指す経済的保守は、軍拡の必要性を説く可能性もある軍事的保守とは相容れない面を持つ。社会的保守派が規制を強化しようとすると、政府の役割低下を目指す経済的保守は反発する。逆に、経済的保守が諸々の予算を削減するようになると、他の保守派が反発し、対立が顕在化していくのである。

なお、保守派と共和党の利益関心も、一致するとは限らない。保守連合を支えていた人が本心で望んでいたのは、自らが信じる保守の勝利であり、共和党の勝利とはズレがあった。例えば、W・ブッシュ大統領は社会的保守派を支持基盤にしていたので、思いやりのある保守主義と称し、福祉拡充を容認することもあった。また、2008年大統領選挙で共和党候補となった穏健派のジョン・マケインは、福祉予算を大幅に削減するのは妥当でないとの立場をとった。しかし、経済的保守派は、W・ブッシュやマケインを「名前だけの共和党員（RINO）」と呼んで批判した。こうした人たちが、後にティーパーティ派につながる流れをつくったのである。

このように、長らく民主党、リベラル派に対する反発を中心軸として団結していた保守も、権力の座に就くと内部対立が顕在化したのである。

他方、民主党は、優位を失った今日でも、相変わらず対立を続けている。近年では、クリントンやジョー・バイデンに代表される中道的なスタンスのニュー・デモクラットと呼ばれる人たちと、サンダースやエリザベス・ウォーレンのような左派的傾向の強い人たちの対立が顕在化している。ニュー・デモクラットは増税や福祉拡充に対する反発の強さを認識した上で、あまりに左派的な立場をとるのは国民の意向に合わないと考えている。リベラル派や進歩派と呼ばれる左派は、このような立場を明確に否定している。なお、本章2節の冒頭で、アメリカではリベラルを自任する人は比較的少ないことを指摘したが、それはリベラルというのが今日では左派、あるいは左翼というイメージを持たれるようになっているからでもある。

本章で説明したように、近年のアメリカでは、二大政党の分極化と対立の激化があるのに加えて、二大政党内部でも揉めているという、非常に複雑な状況を呈している。この状況が落ち着く気配は見えないので、今後もアメリカ政治の混乱状況は続く可能性が高いだろう。

第8章

メディア大国アメリカ

1．ドナルド・トランプとメディア

◆大統領選挙でメディアを利用したトランプ

ドナルド・トランプ大統領は、ニューヨーク・タイムズやワシントン・ポスト、CNNなどの伝統的メディアに対し、敵対的な発言を続けている。トランプのこのような態度は、彼が大統領職を目指して出馬した2016年大統領選挙の選挙戦時から顕著になった。

トランプが大統領選挙に際し様々な問題発言を続けていたことはこれまでの章でも述べた通りであり、伝統的メディアはそれらの発言を問題視した。通例の大統領候補であれば、影響力が大きいと考えられていたそれらメディアから批判されると、発言を撤回したり、同様の発言を控えたりする。だが、トランプはそれら伝統的メディアを「フェイク・ニュース」を流す「アメリカ国民の敵」と呼び、糾弾した。そのような態度をとれば有力な大統領候補であり続けるのは困難だと考えるのが一般的だが、トランプ支持者はそれを支持し、当初は話題作りのために出馬したとみなされていたトランプを、共和党候補、さらには大統領に押し上げた。

トランプの振る舞いは、伝統的メディアのプライドを傷つけるものだった。だが、少なくとも経済的な観点からすれば、伝統的メディアとトランプはともに勝者の関係にあった。トランプを取り上げればテレビの場合は視聴率が上昇し、新聞の場合は購読者が増えるので、広告収入が増大した。三大ネットワークの一つであるCBSの当時の会長は2016年2月のあるイベントで、トランプ現象について「こんなのは見たことがない。我々にとってはよい年になる。ドナルド、この調子で行け」とか、「アメリカにとってはよくないかもしれないが、CBSにとっては誠に素晴らしい」と発言した。会長はこの発言を冗談だったと釈明したが、経営状態の悪化が伝えられていた伝統的メディアの本音が露呈した部分があると考えられたのだった。

他方、トランプにとっても、メディアに取り上げられるのはメリットだった。テレビの放映時間や新聞の紙面には限りがあるため、トランプが取り上げられることは他候補の露出時間が短くなることを意味した。政治家は名を売るためにメディアに露出したいと考え、広告枠を買ったりすることも多い。だが、トランプは伝統的メディアの、視聴者や購読者からの注目の高いところに無料で登場することができた。ある推計では、選挙戦を通してトランプが得た宣伝効果は50億ドルに及ぶとされている。

大統領候補が伝統的メディアに敵対的な姿勢を示すのは、近年のアメリカでは稀な事態だった。同様に稀だったのは、大半の新聞がトランプの対立候補だったヒラリー・クリントンに対する支持を表明したことである。アメリカでは、重要選挙に際して、新聞各紙が社説部分で特定候補に支持を表明する慣行がある。保守的な地域の新聞や保守寄りとされる新聞は共和党候補を推すのが一般的だが、2016年選挙に際しては、それらの新聞の大半も、トランプは大統領への適性を欠くとしてクリントン支持を表明したのだった。

◆新興メディアとトランプの関係

他方、トランプを熱烈に支持するメディアも存在した。『ブライトバート』や『ドラッジ・レポート』など、保守系の過激な情報や見解を掲載するオルト・ライト（オルタナティブ右翼）のメディアが代表例である。これらのメディアは、リベラル派が伝統的に重視してきた「政治的な正しさ」（ポリティカル・コレクトネス。「PC」）に対する反発を鮮明にしていた。これらのメディアにとっては、タブーにとらわれない発言を繰り返すトランプは好ましい存在だった。トランプもこれらの新興メディアに好意的な態度をとり、トランプ支持者はトランプに関する情報を入手するためにこれら新興メディアを活用した。

これは、保守派メディアの勢力図が大きく入れ替わることを意味した。それを象徴するのが、『ウィークリー・スタンダード』の廃刊である。同誌はネオコン（ネオ・コンサーヴァティズム）のウィリアム・クリストルらが刊行した雑誌で、ジョージ・W・ブッシュ政権期には大きな影響力を持っていた。ネオコンは、自由や民主主義などのアメリカ的価値観を広げるために外国に干渉するのを辞さない立場をとっているため、対外的な関与を否定するトランプに批判的な立場を示していた。このようにW・ブッシュ政権期に一世を風靡した保守派オピニオン誌が廃刊となり、オルト・ライト的な新興メディアが影響力を増大させたのは、アメリカの保守勢力に大規模な変動が起こっていることを意味した。

またトランプは、伝統的メディアに依拠する代わりに、フェイスブックやツイッターのようなソーシャル・メディアを積極的に活用した。ソーシャル・メディアは、候補者・政治家と有権者・国民が直接つながるのを可能にする。新聞やテレビなどが両者を仲介する必要がなくなったために、迅速に情報を流すことが可能になる。他方、発信元が内容に偽りがあったり誤解を招いたりするような情報を発した場合でも、その内容が精査されることなく有権者や国民に伝えられてしまうという問題を抱えている。

◆「ポスト真実」の時代――メディア不信と政治不信の増幅

アメリカでは、メディアの政治的影響力は諸外国と比べても大きかった。そのメディアのあり方が、２０１６年大統領選挙を機に、大きく変化している。

伝統的なメディアに対するアメリカ国民の信頼度は低下しつつある。他方、ソーシャル・メディアには精度に問題のある情報があふれている。２０１６年には「ポスト真実」というフレーズが年のキーワードとして選ばれた。また、後述するように、伝統的なメディアも近年ではその党派性を顕著に示す傾向が強くなっている。それらの結果、アメリカ国民の間でメディア不信が増大している。いうなれば、メディア不信と政治不信がともに増幅し合う状態となっているのである。

このような中で、２０１８年8月15日、全米最古参の新聞の一つであるボストン・グローブ紙が社説で、全米の新聞が連帯してメディアの危機に対応しようと呼び掛けた。伝統的メディアをアメリカ国民の敵と評して圧力をかけようとするトランプ大統領のメディア対応を批判するとともに、プレスの自由を守ろうというのだった。アメリカのメディアは自主・独立性を強調する傾向が強く、互いに協力することに対する拒否感が強いとしばしば指摘されている。にもかかわらず、翌16日、約３５０のニュース組織がトランプのメディア対応を批判するとともに、プレスの自由を求める記事を掲載したのだった。

本章では、このように激動の時代を迎えつつあるアメリカのメディアを取り巻く状況を概観することにしたい。

2. アメリカ政治とメディア

◆言論・プレスの自由を定める

アメリカでは建国期以来、メディアが重要な役割を果たしてきた。建国者の一人であるベンジャミン・フランクリンは、新聞記者、編集者として、独立運動を盛り上げた。アメリカ独立の必要性を説いた『コモン・センス』を著したトマス・ペインは、雑誌経営者だった。建国者たちの思想を理解する上での必読文献とされる『フェデラリスト』は、もともとはジェイムズ・マディソン、ジョン・ジェイ、アレクザンダー・ハミルトンが新聞紙上で公刊した書簡だった。アメリカの建国に際し、各種メディアは重要な役割を果たしたのだった。

アメリカは民主主義を体現する国だと指摘されている。そして、民主主義を意味あるものとする上で、言論の自由やプレスの自由が重要であることは論を俟たない。民主政治は、単に国民が代表を選挙で選ぶだけでは不十分で、政府に対して公的に異議申し立てを行う権利を持つことが必要である。そのためには、言論・プレスの自由は不可欠である。

第1章でも前述したように、アメリカの建国者は、大統領がヨーロッパの君主と同様にならないようにするために様々な工夫をした。まず、圧政を布いてはならないという自覚を大統領に持たせるためにも、大統領自身が公徳心を持って行動することが重要だと強調された。しかし、個人の倫理や規範に期待するだけでは十分でないとの認識に基づき、マディソンらは、合衆国憲法で様々な工夫を行った。

そこで作り出された制度が「権力分立」と呼ばれるもので、そこでは二つの形で大統領職に対する制度上の制約が課された。一つは、いわゆる「三権分立」で、「連邦議会」「大統領」「裁判所」という三つの機構を分立させて、「立法権」「行政権」「司法権」を分有させ、大統領の行動を抑制させた（第1章参照）。もう一つが「連邦制」であり、州政府が連邦政府の行動を抑制できるようにした（第5章参照）。ここまでは第1章で見た通りである。

だが、それだけでは権力者の暴走を防ぐ上で不十分ではないかとの疑念が出され、そこでつけ加えられたのが、しばしば「権利章典」と呼ばれる、合衆国憲法の修正第1条から第10条だった。

その第1条で信仰の自由などとともに定められているのが、「言論・プレスの自由」である。建国者たちがメディアを重要なものと考えていたことは、「新聞なき政府と政府なき新聞のどちらかを選べと言われたら、私は躊躇《ためら》いなく後者を選ぶ」というトマス・ジェファソンの言葉からもうかがい知ることができるだろう。

◆「第4の権力」としてのメディア

ただし、アメリカのメディアもかつては今日とは性格を大きく異にしていた。建国当初は、アメリカの主要な新聞は政党の機関誌として発達したものが多かった。また、19世紀前半は「イエロー・ジャーナリズムの時代」と呼ばれ、情報の正確性を犠牲にしてもセンセーショナルな記事を作成して部数や利潤を増大させようとする傾向が強かった。

だが、そのような流れとは別に、ニューヨーク・タイムズのように社会的地位や教育水準の高い層を対象としたクオリティ・ペーパーも登場するようになり、メディアは正しい情報を提供すべきだとの規範が確立されていった。

それらの新聞が強調したのが、政治を監視する機能である。19世紀末から20世紀初頭にかけての革新主義時代の、公職者の不正や腐敗を暴露した「マクレーカー」と呼ばれるジャーナリストの存在は、それを象徴していた。この表現は、当時の大統領であるシオドア・ローズヴェルトが、政財界の腐敗をかき集めて暴露した当時のジャーナリストを、堆肥をかき集める熊手（マクレーク）に譬《たと》えたことに起源を持つ。プライドを持って腐敗暴露をしていたジャーナリストはその表現をあえて取り入れ、自らを「マクレーカー」と称したのだった。

アメリカで調査報道の重要性がつとに強調されたのは、１９７０年代のペンタゴン・ペーパーズ事件とウォーターゲート事件の際だろう。２０１７年にトム・ハンクスとメリル・ストリープ主演で映画化されたペンタゴン・ペーパーズ事件とは、ヴェトナム戦争に際してインドシナにおけるアメリカの役割について国防総省（ペンタゴン）が行った極秘研究の内容を、執筆者の一人がニューヨーク・タイムズに持ち込み、同紙がスクープとして報じたのを受けて、リチャード・ニクソン政権が差し止めを求めて起こした訴訟事件だった。

また、ウォーターゲート事件とは、大統領としての再選を目指したニクソンが、首都ワシントンD.C.のウォーターゲートビルにあった民主党の選挙対策本部に盗聴器を仕掛けさせようとしたことに端を発した事件であり、こちらも幾度となく映画化されている。ワシントン・ポスト紙のボブ・ウッドワードとカール・バーンスタインの両記者が行った精力的な取材がきっかけとなり、ニクソン大統領辞任の流れをつくった事件であり、彼らによる報道は調査報道の優れた事例としてしばしば紹介されている。

このように、メディアは、立法・行政・司法の三権の不正を暴く可能性を持つ第4の権力となっているとして、その存在意義が強調される。特定の党派に属さない中立的な立場から、政治のあり方を調査して報道することの重要性が強調されているのである。

◆国民と政治をつなぐ機能

メディアは、権力を監視することに加えて、国民と政治をつなぐ機能を果たしている。例えば、世論調査を行うことで政治家や争点に対する国民の態度を明らかにしたり、利益集団などの見解を伝えたりしている。また、メディアは国民にとって重要性の高い情報を選抜して伝えるという門番の役割も果たしている。政治や社会に存在する情報の全てを人々が知るのは不可能なので、重要度の高い情報を選択的に国民に伝えているのである。

このような役割を果たす中で、メディアは時折、自分たちこそが国民の世論を代表する存在だと主張する。そのような発言は日本のメディアでもしばしば行われている。そして、政治家がメディアの報道を、国民の声を代表するものとして重視することもある。

例えば、CBSイブニングニュースのアンカーだったウォルター・クロンカイトがヴェトナム戦争時にジョンソン政権を批判したことがあった。クロンカイトは1962年から約19年間同番組のアンカーを務め、私見を交えずに穏やかな口調で情報を伝えることに定評があり、時に「アメリカで最も信頼される人物」と評されていた。その彼が、ヴェトナム戦争の分岐点とされるテト攻勢後の特別番組で、膠着状況にあるヴェトナム戦争にさらなる介入をしても大失敗に終わると述べたのが注目を集めた。それを受けてジョンソンは、「クロンカイトの支持を失ったというのは、大多数の国民の支持を失ったようなものだ」と発言したといわれている。

◆メディアのバイアスと不信の構図

だが、仮にメディアが客観性や中立性を実現しているとしても、それと「国民の声」を代表しているというのは同じではない。メディアには、それ自体特有のバイアスが存在しているからである。

政治との関係でいえば、メディアによる報道には反政府的、反大統領的なバイアスがかかっていることが多い。メディアは公的機関ではなく営利団体であり、視聴率や購読者数を増大させるためには、耳目を集める必要がある。例えば「今日も政治家と役人が真面目に働きました」という記事は、読者の関心を集めないだろう。稀にしか起こらない悪いこと、突発的な事件の方が注目を集めるので、報道されやすくなる。犬が人を噛んでも記事にならないが、人が犬を噛むと記事になるという格言がある所以《ゆえん》である。

また、メディアの報道は、大統領に向かう傾向がある。アメリカ政治は権力分立を大きな特徴としており、立法を主管する連邦議会も重要な役割を果たしている。だが、連邦下院議員だけでも435人も存在することを考えると、議会の動きを詳細に報道するのは容易ではない。予算と人員が限られているメディアが、大統領のように目立つ人に注目するのもやむを得ないだろう。

これらの結果、メディアによる報道は、人々の政治不信、特に大統領に対する疑念を生む可能性を秘めている。報道されるのは稀にしか起こらない悪い出来事が中心だが、悪いことばかりが報道される結果として、政治不信が醸成されるおそれがある。

また、メディアの特性に適した行動をとる人物を優先して取り上げる傾向も強い。視聴者は政策に関する緻密な議論よりも党派的対立を好む傾向があるため、政治家は政策の詳細を語るよりは他党との違いを示そうと単純化した議論をすることが求められる。また、討論会の際の発言が他のニュース番組で再利用される可能性があることを考えると、短くて、注目を集める表現を用いる方がよいことになる。メディアのニーズに合った人の方が、地味な政策専門家よりも選挙の顔として有利なため、このような人が候補者に選ばれることが多くなるのである。

こうしてメディアは一部の政治家や現象にのみ着目しがちになってしまう。そして、複雑な政策の内容や具体的な争点の位置づけは重要だと主張しながらも、それを伝えることをしない。にもかかわらず、国民世論を代表すると宣言していることが、メディア不信の一因であろう。

かくして、メディアによる報道が短期的には政治の安定性を損なう可能性があり、その認識は政治エリートの間では一般的である。だが、そのような問題があるとしても、政治エリートが抱える問題を明らかにし、説明責任を負わせ、政治の応答性を高めることが健全な民主政治を営むためには必要だという認識が存在するがゆえに、言論の自由と併せてプレスの自由を重視すべきだとの規範が共有されてきた。そうであるからこそ、公職者はメディアによる批判を、時に不適切で腹立たしいとは思いつつも、民主政治を健全に運営するためのやむを得ないコストだと考えてきたのである。

3. 報道の中立性とメディアの分極化

◆「フェアネス・ドクトリン」の廃止

先ほど、アメリカのメディアは政治的立場を明確にする傾向が強いと指摘した。この傾向は建国期から見られ、今日に至ってその特徴が鮮明になりつつある。だが、アメリカのメディアも一貫して政治色が強かったわけではない。

アメリカにおける放送の政治的公平性をめぐって重要なのは、「イコールタイム・ルール」と「フェアネス・ドクトリン」という二つの原則である。イコールタイム・ルールとは、公職選挙において全候補に対して平等な放送時間を与えるよう放送事業者に要求する、

1934年通信法に規定されたルールである。このルールは現在も有効だが、除外規定も多く、ほぼ形骸化している。

後者のフェアネス・ドクトリンは1949年に導入された。独立行政法人である連邦通信委員会が放送電波の希少性と放送の社会的影響力を根拠に、地上波に対して公平性を求めたものである。後にその対象はケーブル放送にも拡大された。

だが、フェアネス・ドクトリンは、1987年に廃止された。その理由としては、導入当時と比べてラジオ局もテレビ局もその数が大幅に増加したことによって、放送電波が希少だとはいえなくなったことがある。その背景には、ケーブルテレビや衛星放送の普及がある。また、放送メディアの増大に伴い、番組をモニターする連邦通信委員会によるチェックが追い付かなくなったこともあげられる。

それに加えて、フェアネス・ドクトリン廃止派は、同原則が言論やプレスの自由を定める合衆国憲法修正第1条に抵触すること、また、同様の原則が新聞などの印刷メディアには求められないのに、放送メディアについてのみ求められるのは公平性に欠けることを根拠として掲げていた。1980年代に入ると、連邦最高裁判所も言論の自由をより大きく認めるようになったこともあり、フェアネス・ドクトリンは廃止されたのだった。

日本やヨーロッパ諸国の多くでは、公共の電波を使う放送事業者に政治的公平を求める法律が存在するが、アメリカではフェアネス・ドクトリン廃止後、そのような規制は存在しなくなっている。このことが、アメリカのメディアが党派性を顕著に出すようになった背景にある。

◆メディアの分極化

念のために記しておくならば、今日のアメリカにおいて、中立性を維持しようとするメディアももちろん健在である。だが、その一方で、政治的立場（党派性）を明確にするメディアも増大しており、それがメディアの分極化現象を生み出している。

このような状況が生み出される背景には、アメリカのメディアの政治的な独立性が高いことがある。放送内容に関する規制が相対的に弱い中で、メディアを取り巻く状況が変化し、各メディアが独自性を追求した結果、このような状況が発生したのである。

ニュース番組の政治化を促した背景には、ケーブルテレビや衛星放送の発達に伴う多チャンネル化がある。伝統的な報道番組は、フェアネス・ドクトリンの廃止後も、客観報道の原則を掲げて中立的な番組作りを心掛けてきた。だが、そのような番組は独自性を出しにくい。そこで、トークラジオやケーブルテレビは、報道番組ではなくオピニオン番組、報道というよりは政治ショーを制作して放映するようになった。オピニオン番組増加の背景には、政治情報の多様化とメディアの増大に伴い、専門的な訓練を受けた記者や、取材を行う記者の数が不足するようになったこともある。このような人々が政治に関する番組を作るとなると、報道番組よりもオピニオン番組の方が容易なのである。

オピニオン番組については、出演者の見解を示すのが番組の趣旨であるため、公正さや中立性は重視されなくなった。このような番組の制作は、トークラジオや、FOXに代表される保守派メディアが主導した。中でもラジオ番組は、車社会のアメリカでは日本で想像するよりも大きな影響力を持っている。こういった保守派メディアの戦略に対応し、MSNBCに代表されるリベラル派メディアも同様の番組作りをするようになった。

このような状況において、メディアと政治家、利益集団、シンクタンクの間で、一種の相互依存関係が生まれ始めた。政治家や利益集団、シンクタンクの研究者は、自らと政治的立場の近いメディアに好んで出演するようになる。また、引退した政治家や政権交代に伴い閣僚を辞めた人物などがメディアに出演したり、逆に、メディアで注目を集めた人物が政権入りしたりするなどの人的交流も目立つようになった。

図表11　政党支持層別に見るメディアへの信頼度

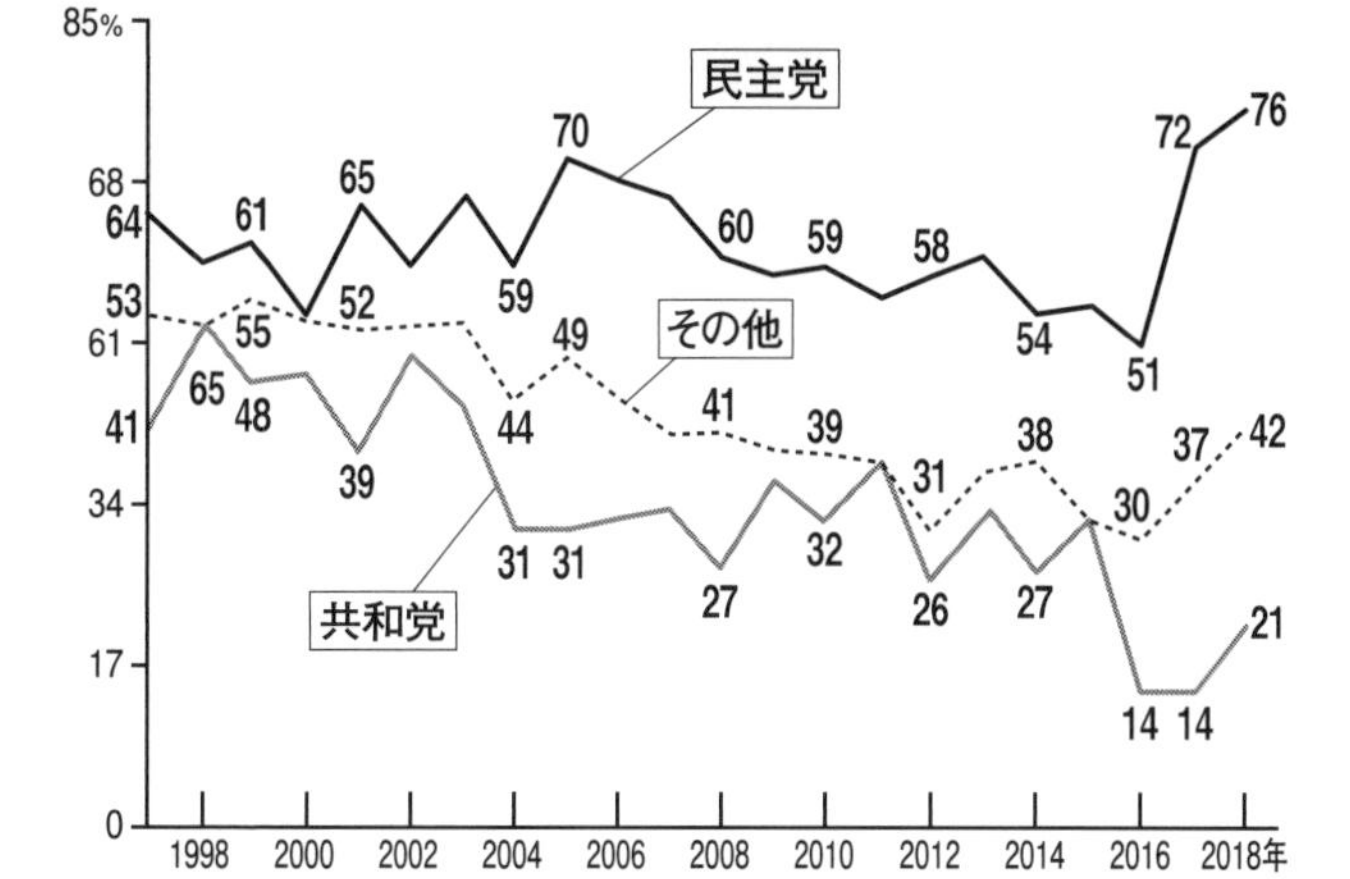

（出典）https://news.gallup.com/poll/267047/americans-trust-mass-media-edges-down.aspx を基に作成

また、メディアの多元化に伴って、視聴者も徐々に、自らの政治的選好に近い見解を示すメディアを好んで視聴するようになっていった。その結果、国民が特定の見解のみに触れて他の見解を受け入れない状況が生まれ、それがアメリカ社会の分断につながっていった。

図表11が示すように、近年では、アメリカ国民の間でメディアに対する不信が強まっているが、その背景には、このような状況がある。とりわけ、視聴者が自らの立場に近いメディアのみに触れる、選択的接触と呼ばれる現象が一般化する中では、時に公正で中立的な報道ですら、バイアスがかかっているように思われて

しまうのである。なお、この図に示されているように、民主党支持者よりも共和党支持者の方がメディアに対する不信が強いが、それは伝統的にメディアにはリベラルなバイアスが強いと考えられてきたことが背景にある。そのような状況の中で、トランプのように伝統的メディアを糾弾する人物が登場したのだった。

4. ソーシャル・メディアとフェイク・ニュース

◆ソーシャル・メディアの台頭

近年、大きな存在感を示しつつあるのがソーシャル・メディアである。先にも指摘したように、トランプはツイッターなどを用いて支持者に多くのメッセージを発信している。ソーシャル・メディアを積極的に活用するようになった大統領はオバマだった。オバマ陣営の使用法が寄付の呼び掛けやボランティア募集、政策の伝達、画像の配布を中心としたのに対し、トランプは立場の表明や批判への反論、批判者や対立候補に対する攻撃が中心となっているところに、両者の違いがある。

ソーシャル・メディアが存在感を増すのに伴い、伝統的メディアは強い危機感を持つようになっている。ソーシャル・メディアが無料でニュースを流すことが多いことがその一つの理由であるが、その他にも、ソーシャル・メディアと伝統的メディアには異なる点がある。

第一に、ソーシャル・メディアと比べると、新聞やテレビなどは速報性の点で劣る。プロのメディア関係者ではない一般の人がソーシャル・メディアを通して政治に関する情報を即座に流し、それが人々の注目を集める事態が発生する。伝統的なメディア関係者は、噂レベルの事柄を流すことはできず、事実関係の裏取りをする必要がある。情報の速報性を求める人々が、伝統的メディアよりもソーシャル・メディアなどを通して情報を得るのが一般的になると、伝統的メディアの人々は自らのあり方を問わざるを得なくなる。

第二に、無料メディアが発達する中で、購読料を払う読者の獲得は難しくなってくる。だが新聞というメディアが自らの役割を果たすためには、購読料収入の確保は死活問題となる。近年、ニュースについて語る人は増えているが、オリジナルの報道をするのは容易でない。論評をすることはできても、その基礎となるべき事実を集める役割は、やはり新聞などの伝統的メディアに期待される。正確な事実を集める人材の育成には時間と費用が掛かる。そのコストを豊富な資金を持つ一部の人に頼るのは無理があるとともに、その人に対する忖度が発生する可能性があるなどの問題をはらむ。安定的に購読者を集めるには報道機関に対する信頼を維持することが不可欠だが、トランプ大統領のように、客観的事実とは関係なく、自らにとって好ましくない内容を伝えるニュースを「フェイク・ニュース」と断じるような事態は、伝統的メディアに危機をもたらす。

第三に、近年では、事実そのものを軽視する傾向が顕著になっている。2016年のアメリカ大統領選挙に際し、「フェイク・ニュース」や「オールタナティブ・ファクト」（もう一つの事実）という表現が頻繁に用いられたのは、トランプだけに原因があるのではない。

近年ではソーシャル・メディアを通して情報を得る人が増えている。2016年アメリカ大統領選挙に際してロシアの介入についての疑念が呈されているように、外国勢力がソーシャル・メディアを通して情報を流すことが容易になっている。以前は外国勢力が国内政治に影響を及ぼす方法はエスニック・ロビイングが中心だったが、ソーシャル・メディアを使えば容易に活動できるだけでなく、目立ちにくい。

また、国内の人物であれ外国の人物であれ、政治的意図がないにもかかわらず、政治に関する情報を流す人も増えている。ソーシャル・メディアの中には多くのクリックが集まると報酬が得られるシステムがあるが、クリック課金を目的として、人々の耳目を集めるためだけに記事を作る人が登場している。そのような場合には、情報の正確性はあまり重視されない。

◆世論に与える影響

このように、真実性に疑問がある情報が流布する中で注目されるようになったのが、ファクト・チェックである。例えば2016年大統領選挙に際し、クリントン陣営はファクト・チェックを行い、クリントンに対して行われている批判の多くは事実に反していると発表した。だが、ファクト・チェックを行って発表したとしても、自分好みのメディアを通してのみ情報を得ることが一般的になっている今日では、そのような情報を見るのはそもそもクリントンに好意的な立場をとる人だけという可能性がある。そうであるならば、多くのコストをかけてファクト・チェックを行うより、ツイッターなどを用いて、自分たちを支持する、あるいは他の候補を批判する情報を大量に流す方が効果的ではないかという声が高まっている。

とりわけ、近年では「ボット」と呼ばれる、自動的に作業を行ってくれるコンピュータの機能を用いて、党派的なハッシュタグがついたツイッター（例えば、#MeTooがついていれば民主党に好意的である）を自動的にリツイートして拡散すれば、自党に好意的な世論の波をつくり出すことができる。その方が選挙戦術上はるかに効果的だと考えられる。ただし、このような手法は選挙区が大きい大統領選挙では有効性が高いが、選挙区が狭いことの多い連邦下院議員選挙でどれほどの有効性があるかは不明である。アメリカの政党は日本でいうところの党議拘束が弱いことも、この手法の有効性を低める可能性があるだろう。

このように、近年、アメリカ政治とメディアの関係は、急速に変化しつつあるのである。

◆改めて問われるメディアの役割

民主政治で討論が重視されるのは、どのような人物であれ「真実（truth）」を独占することができない、そもそもそれを確定することが不可能（少なくとも困難）だという認識が根底にあるためである。そうであるがゆえにこそ、複数の見解を突き合わせ、互いに説得力を競い合うことが重要になる。

そして、その際に重要なのは、そこで示される見解が、「事実（fact）」に即しているということである。事実を確定した上で、あるべき姿を論じ、その実現に向かって健全な討論や競争を行うことが必要であり、それを可能にする環境をいかに整えるかが民主政治にとって重要な課題になる。

だが、近年のメディアを取り巻く状況は、民主政治を健全に運営するために必要な前提を掘り崩しつつある。民主政治の中でメディアが果たす役割について、再考する必要があるといえよう。

第9章 格差と分断のアメリカ

1. 社会主義者の台頭？

◆社会主義に肯定的なイメージを抱く人が増えている

冷戦期、アメリカは社会主義、共産主義と対峙する資本主義圏の盟主としての地位を確立していた。現在、そのアメリカで社会主義という言葉に注目が集まっている。

ドナルド・トランプ大統領は、２０１９年2月に行った一般教書演説で、アメリカを社会主義の国にしてはならない、そして、アメリカは決して社会主義の国になることはない、と強調した。冷戦期の国際情勢や社会主義国の状況を知る者からすれば、何を当然のことを言っているのだろうという気がしなくもない。

だが今日のアメリカでは、社会主義という言葉に対する捉え方が以前とは大きく変化している。１９４０年代、社会主義といえば、企業の活動など様々な事柄を国家が管理し統制する考え方だとされた。だが今日では、社会主義を、政府による管理や統制よりも、平等と結びつけて好意的に理解する人が登場している。

アメリカで社会主義に好意的なイメージを抱かせるきっかけをつくったのは、2016年大統領選挙で民主党候補となることを目指したバーニー・サンダースである。従来型権力の象徴的存在だったヒラリー・クリントンに対抗し革命を訴える、自称民主社会主義者であるサンダースの主張は、とりわけ若者の心を捉えた。彼らの中には、学費ローンの返済に苦しむ人や、医療保険料を支払えない人も多かった。そして2018年の中間選挙では、サンダースが上院議員選挙で三選を果たしたのみならず、ニューヨーク州でアレクサンドリア・オカシオ=コルテス、ミシガン州でラシダ・タリーブら社会主義者を自称する人物が当選している。

◆経済格差に苦しむ人々

彼らの当選を可能にした背景には、大きな経済格差がある。2008年のリーマンショック以降、資本主義の失敗と経済格差を糾弾する動きが強まった。アメリカの富の大半が上位1%の富裕層に独占されているとして、「我々は99%だ」とのスローガンを掲げて富の偏在を批判したウォール街占拠運動が繰り広げられた。サンダースらを支持する動きには、これとの連続性が見いだせる。

ちなみに、社会主義という言葉にソフトな印象を与えたきっかけは、実はティーパーティ運動かもしれない。小さな政府の実現を主張してバラク・オバマ政権期に登場したティーパーティ運動の活動家は、オバマ政権による医療保険制度改革（オバマ・ケア）を社会主義的医療として、そしてオバマをレーニン（マルクス主義的社会主義者）やヒトラー（国家社会主義者）に並ぶ社会主義者（民主社会主義者）であるとして強く批判した。だが、オバマが当初導入を目指していた国民皆医療保険は日本やカナダでも実現しており、決して過激なものではない。このような主張を受けて、一部のアメリカ人、とりわけソ連崩壊後に生まれた若い人々の間に、社会主義は過激な考え方ではないとの印象が生まれた可能性がある。

◆共和党支持者と民主党支持者では大きく違う

興味深いのは、共和党支持者と、民主党内で社会主義を提唱する人々の間で、社会主義と言って思い浮かべるものが大きく異なっていることである。共和党の政治家が社会主義を想起させるものとして取り上げるのは、南米ベネズエラの事例である。ベネズエラでは、国家介入型経済政策の失敗による経済破綻のため多くの国民が貧困や飢えに苦しんでいる。

これに対し、サンダースが社会主義の例として語るのはデンマークなど社会民主主義国家である。だが、いうまでもなく、社会民主主義と社会主義は異なると考えるのが一般的である。これは民主党系の活動家の間に他国や歴史に対する知識が欠如していることを示している。

それはさておき、彼らが提唱する社会主義とは、世界標準でいえばかなり穏健なものである。

ちなみに、2018年のギャラップ社の調査によると、社会主義に好意的だと答えた人は18～29歳の若者では51％に上り、驚くべきことに、資本主義の45％を上回る。社会主義に好意的な立場をとるのは民主党支持者では57％だが、共和党支持者では16％にすぎない。2015年6月にギャラップ社が行った調査によれば、約半数の国民が社会主義者に投票したくないと回答しており、その割合は、イスラム教徒、無神論者、同性愛者に投票したくないと回答した人の割合より高い。

2018年8月のYouGovの調査では、民主党支持者の41％、無党派層の29％が社会主義者と称する人物が大統領候補になることに好意的な態度をとる一方、ためらいを感じる、あるいは非常に不愉快だと回答した人の割合は、民主党支持者の59％、無党派層の71

%である。社会主義者に投票したくないという考えは民主党支持者の間にも強く残っている。

このような状況を考えると、自称社会主義者が影響力を増大させているのは民主党にとって好ましくないといえるし、トランプ大統領が民主党候補のことを社会主義者と批判するのは効果的な戦略だといえるだろう。

本章では、このような「社会主義」が流行する背景に存在するアメリカ社会の格差に焦点を当てる。それに加えて、格差とそれを生み出す経済状況を改善しようとして提唱されている試みを紹介しつつ、それに象徴されるアメリカ政治の分断状況についても考察したい。

2．経済格差と社会的分断

◆偏在する所得や資産

今日のアメリカでは、所得についても資産についても顕著な偏在が見られる。図表12は

図表12　アメリカの人口の1%の富裕層および0.1%の富裕層が総所得において占める割合

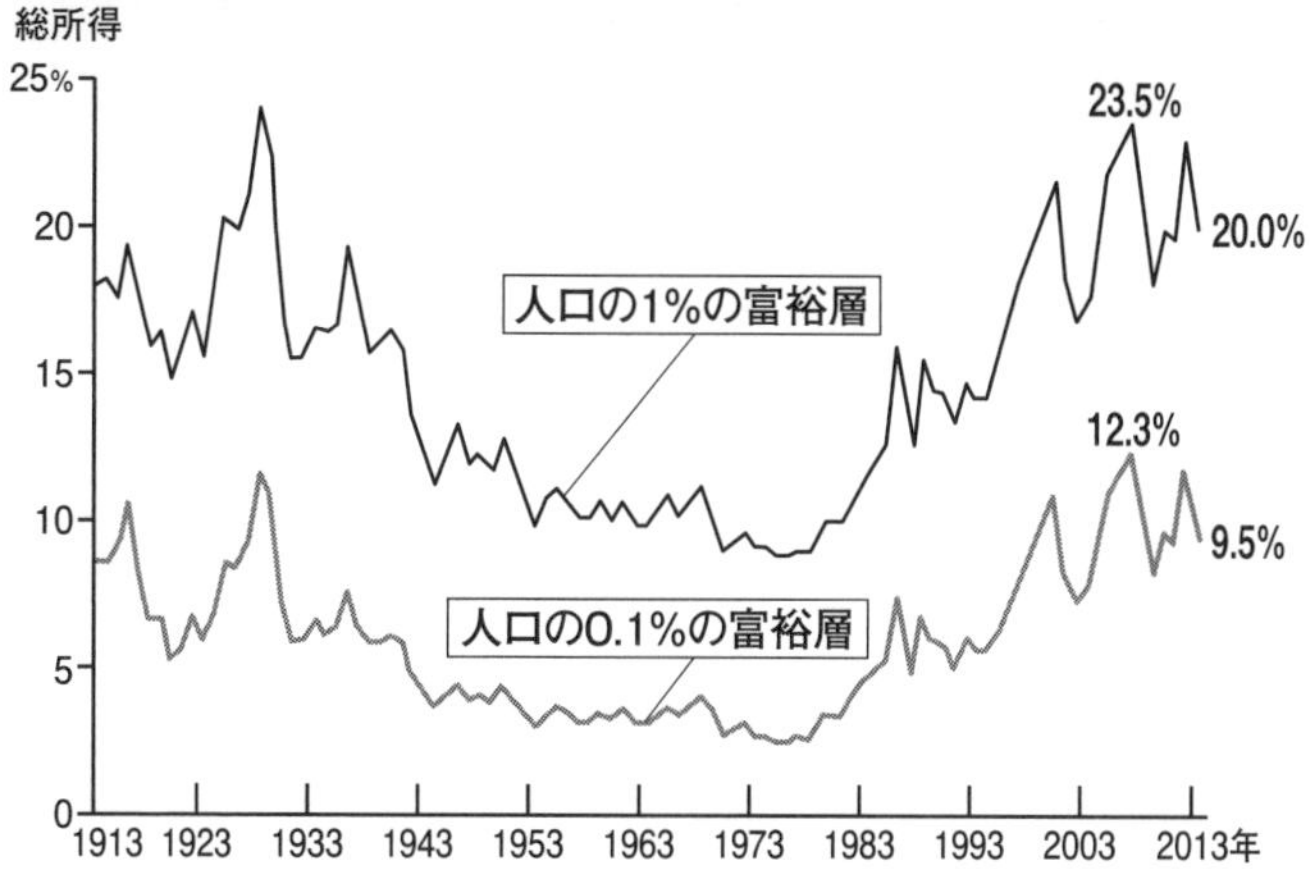

（出典）https://commons.wikimedia.org/wiki/File:U.S._Income_Shares_of_Top_1%25_and_0.1%25_1913-2013.pngを基に作成

図表13　人口の1%の富裕層と人口の90%の総資産

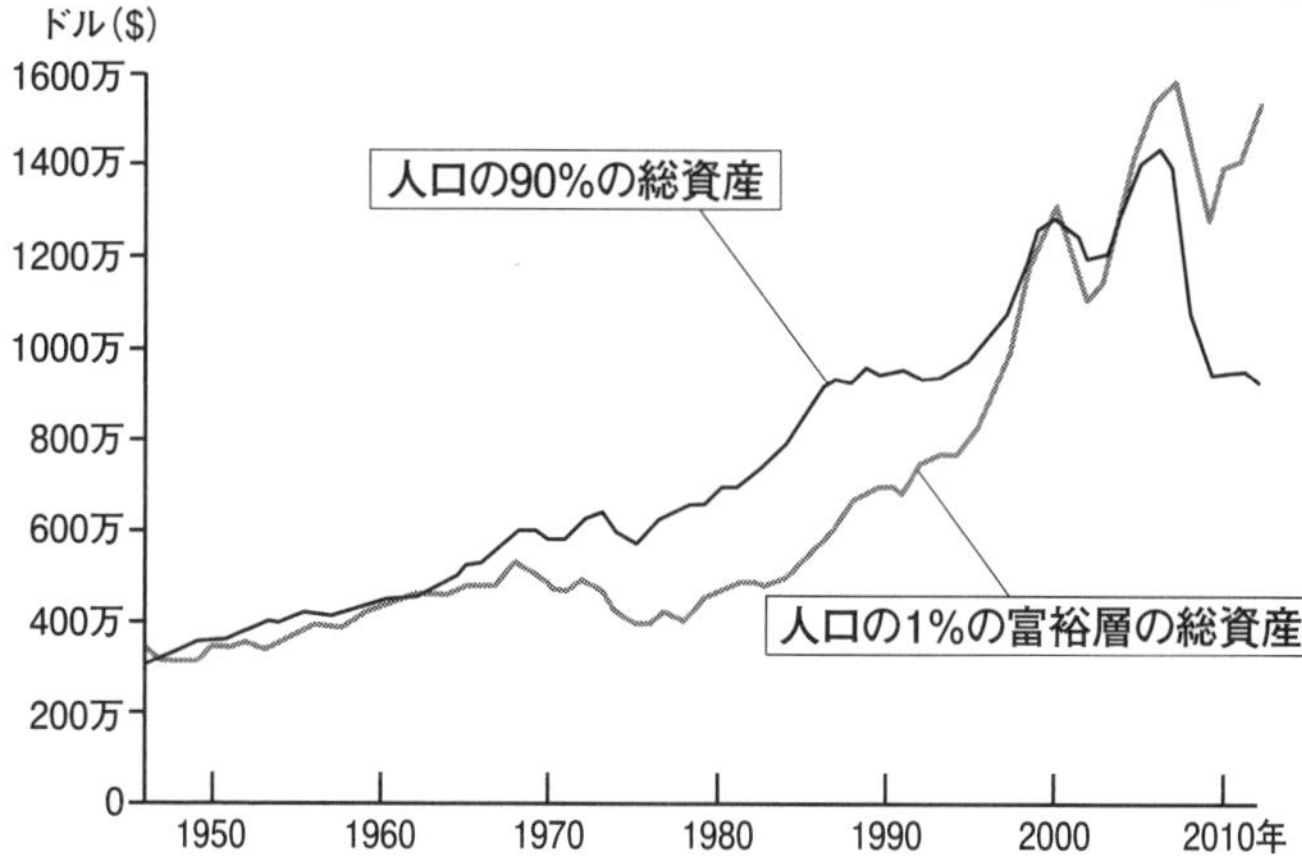

（出典）https://www.theguardian.com/business/2014/nov/13/us-wealth-inequality-top-01-worth-as-much-as-the-bottom-90を基に作成

アメリカの総所得の2割程度を人口の1％にあたる富裕層だけで、そして1割程度を0・1％の富裕層だけで稼いでいることを示している。また資産の偏在を示した図表13を見れば、人口の1％の富裕層の資産が人口の90％のそれの総計よりも多いことがわかる。

経済格差は人種・エスニシティ間に顕著に見られる。図表14と図表15はそれぞれ、人種・エスニシティ別の貧困率と失業率を示したものだが、これらを見れば、今日のアメリカにおいても黒人や中南米系などマイノリティの貧困率・失業率が高いことがわかるだろう。

◆**アメリカ社会に経済格差が生まれる要因**

このような経済格差が生まれた背景に、グローバル化の存在がある。図表16は、1988年から2008年の間に見られた世界の家計所得の変化を示した、エレファント・カーブと呼ばれるチャートである。この横軸は所得額を示し、縦軸は一人当たりの所得の伸び率を示している。このうち、Aは中国などに代表される新興国の（新）中間層、Bは先進国の中間層、Cは先進国の富裕層の位置を示している。

この図は、世界規模ではグローバル化が平等をもたらすことを示しており、新興国の

図表14　人種・エスニシティ別貧困率

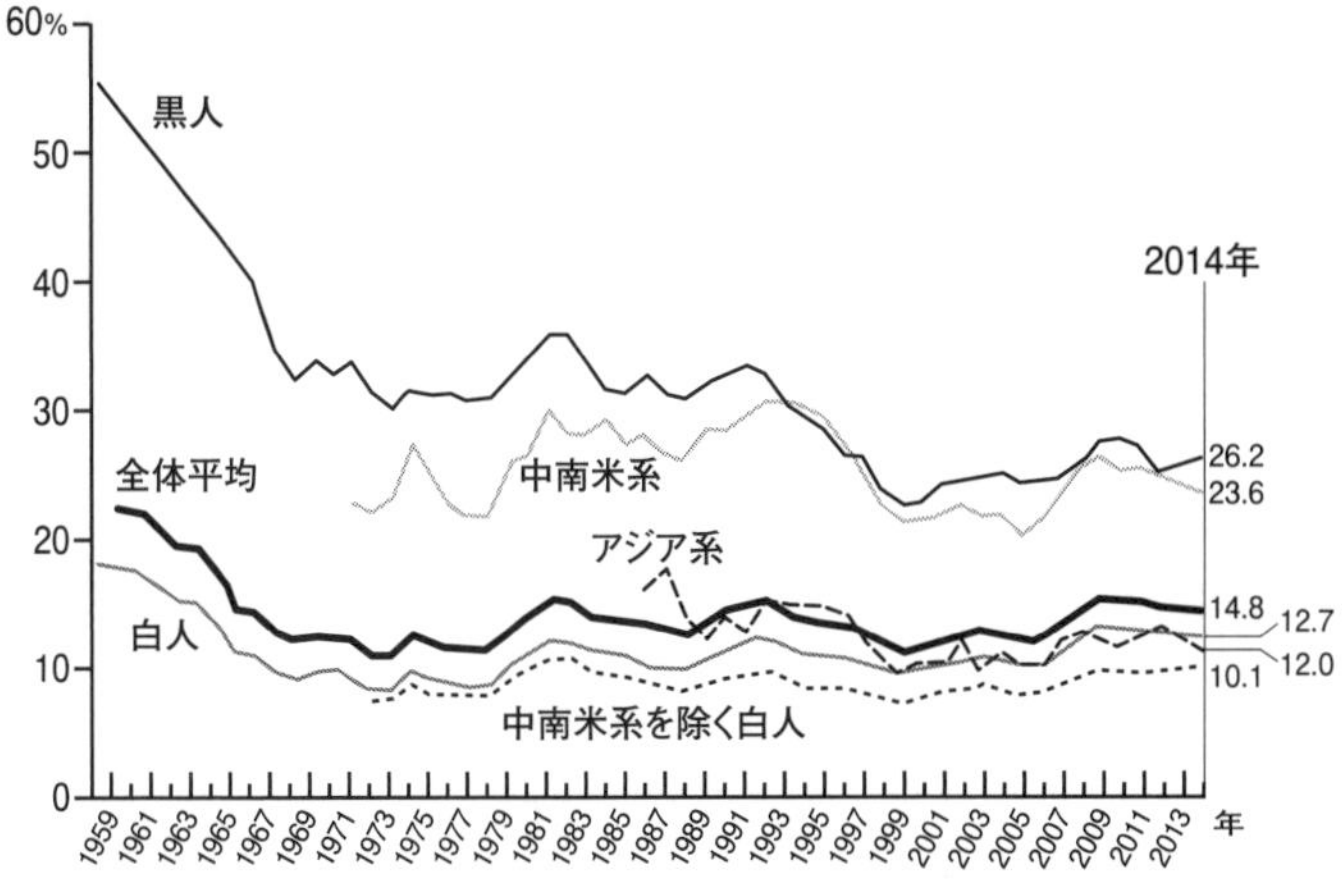

（出典）U.S. Census Bureau, Current Population Survey. Annual Social and Economic Supplement.

図表15　人種・エスニシティ別失業率

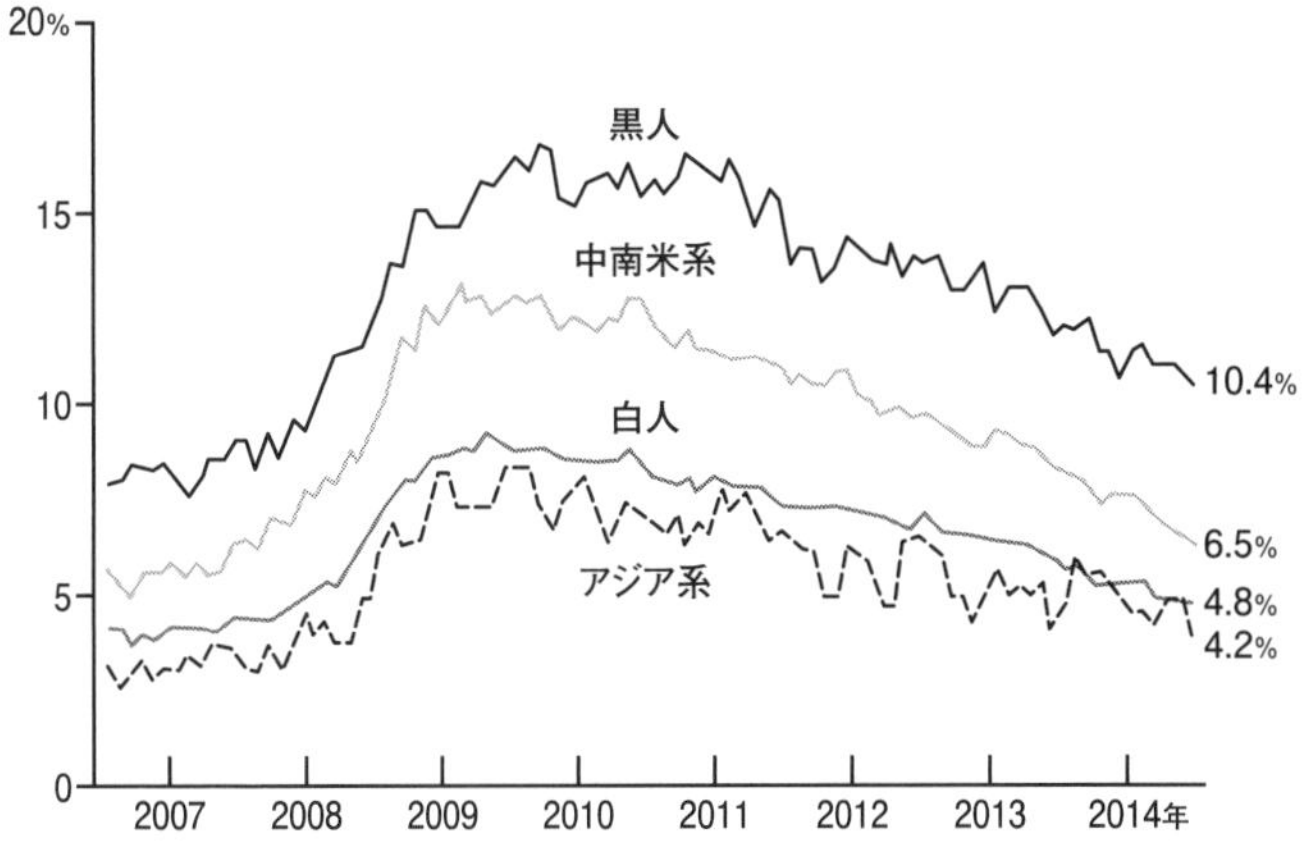

（出典）Thomson Reuters Datastream-Stephen Culp @ ReutersCulp 1/9/2015

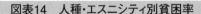

図表16　グローバルな所得水準で見た1人当りの実質所得の相対的な伸び(1988-2008年)

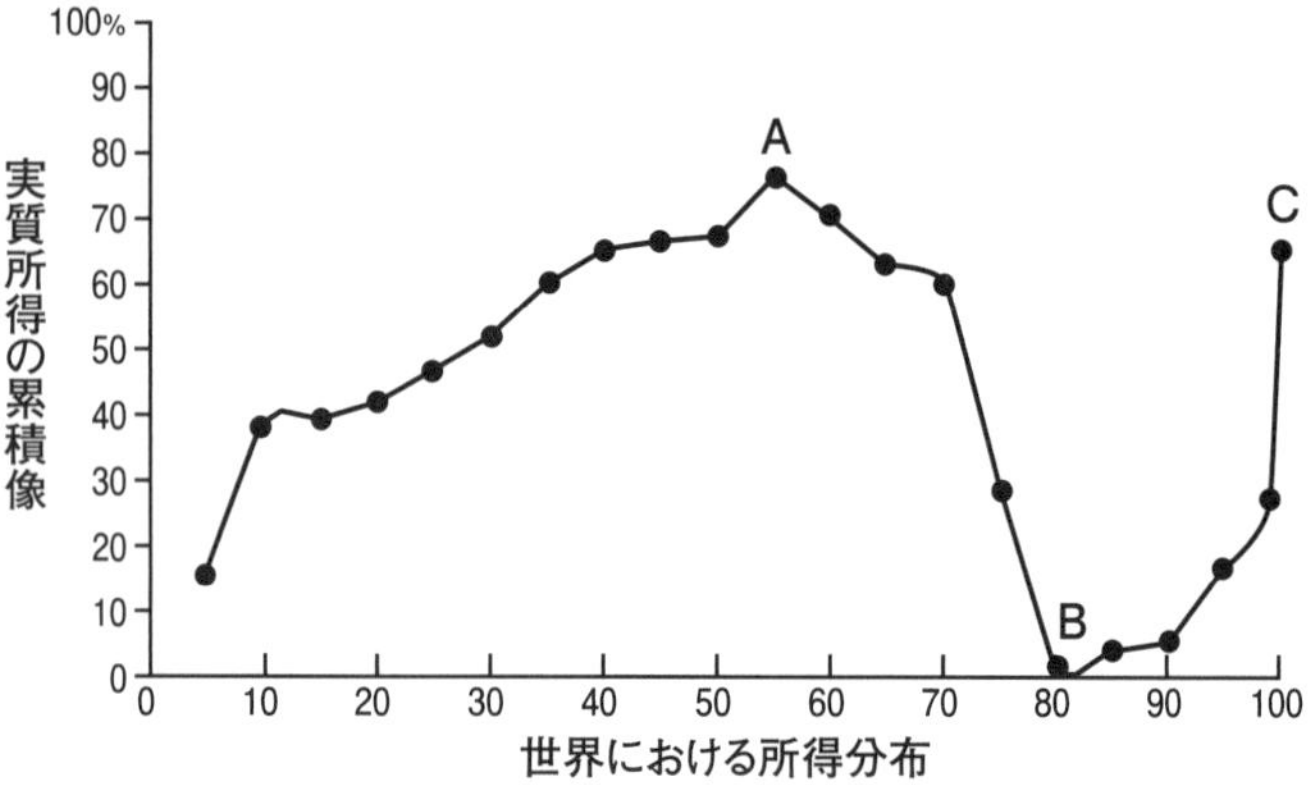

(出典)Lakner, Christoph, & Branko Milanovic, "Global Income Distribution: From the Fall of the Berlin Wall to the Great Recession," *World Bank Economic Review*. 30-2 (2016)

(新)中間層の所得の伸びは顕著である。他方、先進国内に目を向けると、Bに示される中間層の所得が横ばいで伸び悩んでいるのに対し、Cに示される富裕層の所得は顕著に増大している。これは、先進国内では経済格差が拡大していることを意味している。

このように、グローバル化時代に先進国で経済格差が拡大するのは世界的傾向である。

ただし、アメリカにおける格差は他の先進国と比べても顕著である。その背景には、アメリカで大企業経営陣の報酬が急増していること、金融サーヴィス業の隆盛、そして、超富裕層に対する税率の低さなどの要因が存在する。

それに加えて、アメリカにおける利益集団政治のあり方が大きな影響を及ぼしている可能性も高い。政治資金規制が緩和されたこともあって、富裕層の利益を代表する団体がロビイストを雇い、政治献金を行っているのに対し、労働者の利益を代表することが期待される労働組合が弱体化していること、そして、貧困者がほとんど組織されていないことなどが、富裕層に有利な状況をつくり出しているのではないかとの指摘も有力である。

3. 税制を通しての問題解消?

◆なぜ政府は失業や貧困の対応をとれないのか

このように大きな格差が存在していれば、連邦政府が何らかの社会政策を実施して失業や貧困状態にある人を援助すべきだとの声が上がってもおかしくない。実際、そのような対策も確かに行われている。にもかかわらず、状況を変革できるほどの大規模な対応を連邦政治がとることができないのは、なぜだろうか。

その大きな要因として、予算が硬直化しているという事実がある。連邦予算のうち、自動的に決まるものを除いて民主的に使途が定められる割合を示す指標に、「ストゥーリ・ローパー財政民主主義指数」と呼ばれるものがある。図表17に示されているように、1962年には政府支出の約3分の2が財政民主主義の下で定められていたが、60年代半ば以降その割合は急激に低下し、2014年段階で20％程度、そして現在のペースで高齢化が進めば2022年までに10％を下回るとされている。これは、連邦予算の中で義務的支出が急速に増大し、裁量的支出が減少し続けることを意味している。

具体的に見てみると、近年では、年金、高齢者や一部の障がい者向け公的医療保険であるメディケア、低所得者向け公的医療保険であるメディケイドの費用が連邦予算に占める割合は約50％となっている。これらの支出は法律に基づいて定められており、高齢者人口の増加に伴って拡大する。

それに加えて、国防費の支出や国債の利払いも行わなければならず、これら歳出を削減する余地も乏しい。総予算からこれらの費用を差し引いた金額が裁量的支出に回るが、増税をしない限り裁量的支出は減少し続けると予想される。

このような状況では、政府が積極的な対応をとろうと試みたとしても、財政的裏づけが

図表17　ストゥーリ・ローパー財政民主主義指数

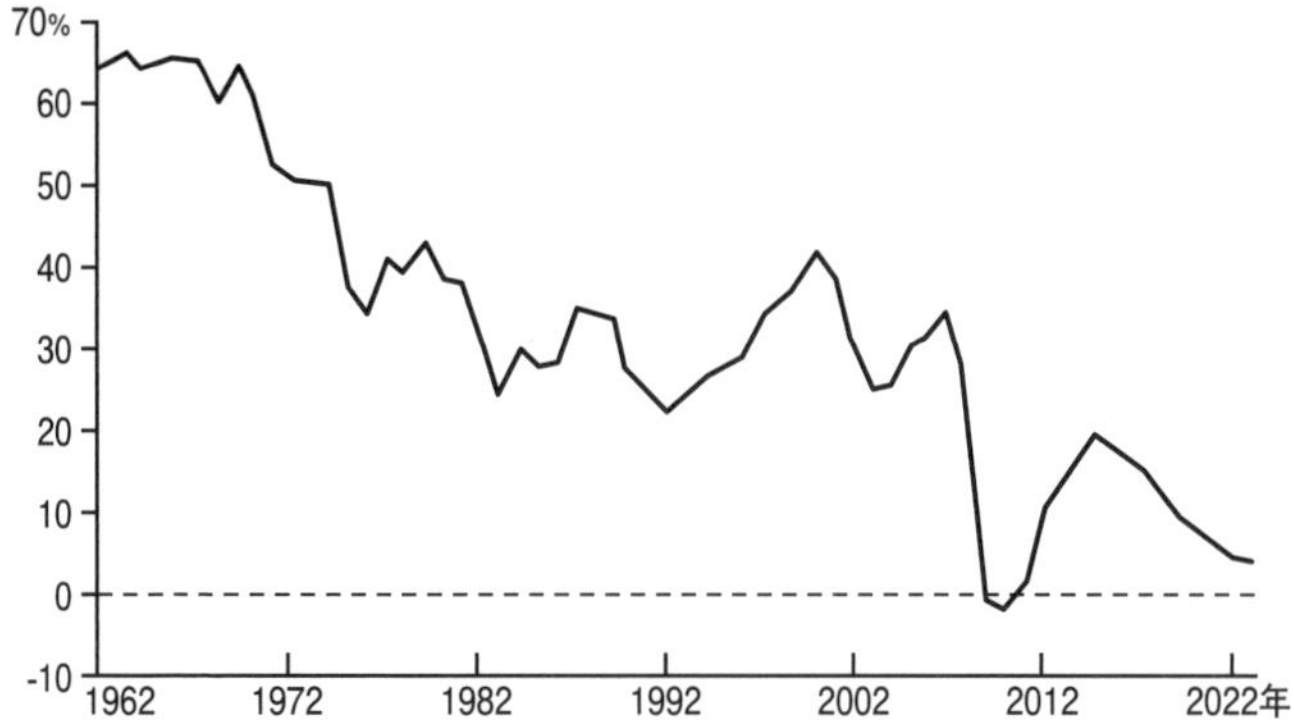

（出典）Steuerle, C.Eugene, *Dead Men Ruling: How to Restore Fiscal Freedom and Rescue Our Future*（The Century Foundation, 2014）, p.7.

ないために効果を生むことは困難であろう。

◆税をめぐる民主党・共和党の考え方の違い

では、連邦予算を確保するために増税をすることはできないのだろうか？

アメリカにおいても、税をめぐる政治は複雑である。一般論としては、アメリカ国民は小さな政府を志向し、減税を求める声が強い（他方、個別の政策について問われると拡充を求める声が強い）。これは、「代表なくして課税なし」のスローガンを掲げたボストン茶会事件を引照しつつ、２０１０年代にティーパーティ運動が展開されたことを考えても明らかである。

歴史を振り返ってみよう。１９７８年にカ

リフォルニア州で増税に対する強い反発が住民投票で示された、いわゆる「納税者の反乱」以降、税に対する反発は共和党の主要な大義となった。以後、減税、税率の累進性の低下は、共和党の主要公約であり続けている。これは、民主党が税について統一的なメッセージを提出することができていないのとは対照的である。

保守派の税に対する忌避感は、人種問題と複雑に絡み合う形で醸成されていった。リチャード・ニクソン政権（1969~74年）以降共和党は、勤労者が支払った税金が、身体的にも精神的にも働く能力があるにもかかわらず働いていない怠惰な貧困者のために投じられている、と主張した。このような主張は、勤労倫理に欠ける福祉受給者の多くは黒人に違いないという、広く流布している誤解と結びつける意図のもと行われていた。この人種と税、社会福祉を結びつけて連鎖反応を起こさせる戦略は、ロナルド・レーガン政権期（1981~89年）により鮮明になったが、この考え方は21世紀になって以降もティーパーティ派やトランプ支持者に受け継がれている。

◆累積赤字の対応

今日のアメリカにおいて、累積赤字への対応は党派を超えて共有される政策課題である。

そして、税をめぐる二大政党の対立は、財政赤字の発生理由や解消方法に起因する。民主党は、景気刺激策として義務的経費を中心とした政府支出の維持拡大を求め、財政再建手段として増税を志向する。財政赤字の政策的要因は富裕層を優遇する減税政策と考える。他方、共和党は景気刺激策として減税を求め、財政再建手段として支出削減を主張する。財政赤字は福祉を中心とした政府支出の拡大の結果だと考えるのが一般的である。

以下では、広く経済問題をめぐって二大政党が展開する議論を紹介することにしたい。まずは、アメリカの税の特徴を説明した後、節を改めて、近年民主党左派が主張している、「グリーン・ニューディール」と、「全ての人にメディケアを」（メディケア・フォー・オール）について解説したい。

◆アメリカの税の特徴――税収面での累進性の高さ

税をめぐっては、二大政党が明確に対立している。すなわち、共和党が減税が経済に及ぼす肯定的効果について強調する一方で、民主党左派は富裕層増税の必要性を強調する。では、共和党が主張する減税政策は格差是正につながるのだろうか？　興味深いのは、連邦の所得税を減税したとしても、アメリカの貧困層や下位中間層には直接的な恩恵は及ばないことである。この点を説明するため、まずはアメリカの税について基礎的な情報を整理しておきたい。

アメリカの連邦政府の税金は、支出面について貧困者に対する直接的支援額が少ないなど、再分配的性格が弱いことが知られている。他方、収入面に関しては、多くの読者にとっては驚きかもしれないが、ヨーロッパ諸国と比べても再分配的性格が強い。アメリカの連邦の税制は所得税を基本とする一方で間接税を持っていない。所得税の税率は高所得者の方が高く累進的である。そして、2012年大統領選挙で共和党候補となったミット・ロムニーがアメリカ国民の47%が連邦所得税を支払っていないと述べて話題になったことがあったが、実際にアメリカ国民のうち所得階層が下位にある約半数は連邦所得税を支払っていない。これらの結果、連邦の税金はその収入面に注目すれば、間接税を基本とするヨーロッパ諸国と比べて累進性が高いのである（ただし、州政府や地方政府では間接税も導入されている）。

◆所得税の負担感が大

そして、アメリカでは所得税の控除を得るために確定申告がほぼ必須となっていることが、国民の税意識に影響を与えている。所得のさほど高くない人々も高額納税者も、様々な控除項目を念頭に置いて行動している。

このように、連邦所得税の納税には他の税と比べて多くの手続きが必要になることもあり、所得税に対する負担感は他の税に対するそれよりも大きくなる。連邦所得税の納税者は多大な税負担をしているという意識が強く、それが税に対する反感の背景にある。

なお、税収については給与税も一定の割合を示している。給与税は給与支払い時に自動的に徴収されるもので、年金、メディケアと雇用保険のために用いられている。この税については雇用者側も相応の金額を納税している。

アメリカの年金は1935年の社会保障法によって制度化された社会保障年金と企業年金の2階建て構造となっているが、1階部分については労働と納税を10年以上行わなければ受給資格が与えられず、給付額も基本的には勤労時代の拠出に基づいて定められる。そのため、給与税についてはいずれ自分のところに返ってくるという意識が強いこともあり、痛税感には必ずしもつながっていない。

◆減税の効果は限定的

連邦税の収入面について累進性が高いことは、所得再分配効果があることを意味する。ただし、国民の約半数が連邦所得税を払っていないということは、連邦政府が減税を実施したとしても、その効果が直接的に及ぶのは所得階層が上位の半分のみとなる。ほぼ全ての人が所得税を払っている国で減税政策の直接的恩恵が多くの人に及ぶのとは対照的である。減税が低所得者層に恩恵をもたらす可能性があるのは、減税の恩恵を受けた中高所得者が財やサーヴィスを購入するなどして経済が活性化すると、その恩恵が他の国民にも及ぶためである。これは理論的には正しいとしても、そのような主張が低所得者に政治的にアピールするとは考えにくい。

言い換えれば、アメリカの場合はその支持獲得を狙って低所得者に恩恵を及ぼすためには、何らかの給付を行うより他ないことになる。だが、アメリカでは公的扶助政策に関しては、恩恵に与る人がごく一部の低所得者に限定されている。そのため、大半の納税者にとっては、公的扶助は自分たちが労働を通して得た資金の一部が強制的に徴収されて、ごく一部の人のために用いられているという認識が強くなる。こうして、租税支出の正当性をめぐって、様々な議論が展開されるのである。

◆富裕層への増税提唱は過激か

近年の民主党左派の中では、高所得者に高率の税を課すよう提唱する人が増えている。例えば、オカシオ＝コルテスは年収１０００万ドルを超える課税所得のある人に70％の限界税率を適用するよう提唱している。また、ウォーレンは５０００万ドルを超える資産を持つ家計に２％の、10億ドル以上の資産のある家計に対し３％の税を課すことを提唱している。

先ほど指摘したように、アメリカの場合は、財政支出の再分配的性格は弱いが、税の徴収については累進性が高い。連邦所得税は累進的であり、所得の低い約半数の人々はそもそも連邦所得税を払っていないからである。選挙の際に共和党候補が貧困者は所得税を払っていないと主張するのは正しい指摘であり、この点を不平等と捉える納税者が上位中間層や高所得者層を中心に存在する点を、まず理解する必要があるだろう。

なお、ウォーレンやオカシオ＝コルテスらの提唱する考え方がどの程度過激か評価するのは、実は難しい。全体的な富の分布や個々人を取り巻く経済状況は時代によって大きく変化しており、客観的な評価をするための基準を定めるのが困難だからである。

◆歴代政権の税率の変遷

連邦所得税について考えるならば、最高税率は１９１７年以前は７％だったのが、同年、ウッドロウ・ウィルソン大統領（１９１３～２１年在任）が67％に引き上げた。その年は、アメリカが第一次世界大戦に参戦した年である。その後、１９１９年まで最高税率は73％に引き上げられた。１９２０年代になると、カルヴァン・クーリッジ大統領（１９２３～２９年在任）の下で最高税率は25％に引き下げられたが、ハーバート・フーヴァー大統領（１９２９～３３年在任）の下で１９３２年に63％に、フランクリン・ローズヴェルト政権（１９３３～４５年）下で第二次世界大戦中の１９４２年に88％に引き上げられた。そして、ハリー・トルーマン政権期（１９４５～５３年）、ドワイト・アイゼンハワー政権期（１９５３～６１年）に最高税率は90％以上に達した。だが、ジョン・Ｆ・ケネディ大統領（１９６１～６３年在任）は、それを70％に引き下げた。レーガン政権期（１９８１～８９年）の１９８１年に50％に、１９８８年には28％に引き下げられた。

今日のアメリカの所得税の最高税率は、世界の国々の中で39位と必ずしも高くない。そして、オカシオ＝コルテスが主張する70％の最高税率は、アメリカ史上、課されたことがある。だが、以前と今日では時代状況が明らかに異なっている。今日、イギリスの最高税率は45％であり、税金が高いことで知られるスウェーデンやデンマークでもそれぞれ56％、57％である。70％という最高税率は、今日の先進国ではあり得ない高水準である。

◆顕著になる富の不平等

なお、民主党リベラル派が高所得者に対する増税を提唱しているのは、近年、富の不平等が顕著になっているからである。世界史上、富の不平等が問題になったことは何度もある。だが、富の不平等があるからといって高額納税者への増税が政治的に支持されるとは限らない。

ヨーロッパとアメリカで過去100年間の高額納税者に対する増税が実現した条件を調査した研究がある。それによると、増税が可能になったのは、高額納税者が社会に対して適切な貢献を行っていないと考えられた場合のみである。ここでいう貢献とは経済的なものではない。その研究によれば、高額納税者に対する大規模増税が達成されたのは戦時下などの国家的危機においてのみである。当時、低所得者層は徴兵されて戦争に行ったが、高額納税者の子孫は徴兵を回避したという認識がその背景にあった。

だが、今日のアメリカでは、そもそも徴兵が行われていない。また、近年ではドローンなどの発達により、戦争に際しても人間が直接的に戦闘行為に関与する必要性は低下している。このような状況を考えると、高額納税者に対する増税は、表面的には賛同する声が高まったとしても、実現する可能性は低いというのがその研究の結論である。

富裕層に対する大幅な増税は容易に実現できるものではない。実際に、アメリカの富裕層や経済界は、ウォーレンに代表される民主党左派が大統領になることはアメリカ経済にとって大きなリスクだと主張している。大富豪で前ニューヨーク市長のマイケル・ブルームバーグが２０２０年大統領選挙の民主党の予備選挙に参画した背景にも、この問題があるといえよう。

4．グリーン・ニューディールと「全ての人にメディケアを」

◆グリーン・ニューディールをめぐる三つの注目点

グリーン・ニューディールとは、国内電源を風力発電や太陽光発電のような二酸化炭素排出量ゼロの再生可能エネルギーに切り替えることや、交通手段の近代化（全米規模での鉄道網の構築)、製造業や農業での二酸化炭素排出量削減、住宅や建物のグリーン・ビルディング化などを今後10年間で実現し、環境保護と経済成長を両立させようと試みるものである。オカシオ＝コルテスとエド・マーキー上院議員が決議案を提出し、70名以上の民主党下院議員と10名以上の上院議員が賛同している(上院で否決)。その中には、2020年大統領選挙への出馬を表明していたウォーレン、カーマラ・ハリスらも含まれる(ハリスは2019年12月に撤退表明)。

グリーン・ニューディールをめぐる状況を理解する上では、少なくとも三つの点に注目する必要がある。

第一に、グリーン・ニューディールという表現が、そもそも注目に値する。これは、大恐慌に対してローズヴェルト政権が実施したニューディールから名前をとったものである。日本では、オバマ政権期に環境活動家のヴァン・ジョーンズが著した本が『グリーン・ニューディール』というタイトルで翻訳・出版されたこともあり、これはアメリカで長く用いられてきた表現だと思う人もいるかもしれない。

だが、この邦訳タイトルは、アメリカの実態を考える上で問題がある。ジョーンズはグリーン・ジョブやグリーン・エコノミーという表現は使ったものの、「グリーン・ニューディール」という表現は使わなかったからである。同書が発売された2009年当時、ニューディールは大きな政府を象徴する表現だとして、アメリカでは民主党支持者の間でさえ評判が悪かった（当時はリベラルという表現を避ける政治家もいた）。だが今日では、ニューディールという表現にはむしろ肯定的な意味合いが含まれているという判断から、グリーン・ニューディールという表現が使われるようになっている。これは大きな変化である。

第二に、グリーン・ニューディールは、様々な職を提供することや投資を喚起するなど、環境政策の枠を超えて位置づけられている。この意味でも、この政策は近年のアメリカで顕在化している格差を克服しようとする試みと位置づけることができる。

◆否定的な反応を呼ぶ面も

第三に、グリーン・ニューディールの決議案については、オカシオ＝コルテス陣営が甚大なミスを犯した点にも注目する必要がある。オカシオ＝コルテスのスタッフは決議案賛同者の承認を得ていない段階の文章を「よくある質問」という形でまとめたものをウェブ上に発表してしまった。その中には、「グリーン・ニューディールは、全ての人――その中には働きたくない人をも含む――に対して、経済的な補償を提供する」とか、「環境問題への対応のため原子力発電を廃止する」というような論争的な主張が含まれていた。

先に述べたように、この決議案には、2020年大統領選挙の候補となることを目指している人々も賛同している。彼らにとっては、このような論争的なメッセージを出すのは大問題である。オカシオ＝コルテスは、誤って発表してしまった文章は忘れて最終的に出された決議案にのみ注目すべきだと釈明しているが、民主党の政治家の多くは強い不満を示した。

また、オバマ政権期にエネルギー長官を務めたアーネスト・モニスは、グリーン・ニューディールのような現実離れした考えを提唱するのは逆効果だと批判している。環境問題を改善するには、二大政党で協力可能な点について妥協を積み重ねることが必要である。にもかかわらず、実現可能性の低い過激な立場をとってしまえば、異なる立場の人々の反発を招いて協力が困難になる。実際、共和党はこの文章を取り上げて、民主党リベラル派の過激さを繰り返し指摘している。

グリーン・ニューディールは、費用の見積もりについても十分になされていないと指摘されている。トランプ大統領は、グリーン・ニューディールの考え方を、「悪い点数を取った高校生のタームペーパー」だと表現し、一笑に付している。

◆グリーン・ニューディールと労働力創出

だが、グリーン・ニューディールの考え方は、労働力創出と親和性が高い。再生可能エネルギーのための設備を造るにはインフラを整備する必要があるため、製造業分野で雇用を創出する。トランプの岩盤支持層となっている白人労働者層は新たな技能の習得に消極的なため、強制的に製造業の需要をつくり出さない限り彼らに雇用を見つけるのは難しい。グリーン・ニューディールは彼らの利益関心に実は適っている。スタートアップ時にソフト開発などが重要な意味を持つため、イノベーションを生む可能性もある。

このように考えると、グリーン・ニューディールは打ち出し方によっては意外と広範な支持を獲得する可能性もあり、長期的には注目に値する考え方だといえるだろう。

◆全ての人にメディケアを

「全ての人にメディケアを（メディケア・フォー・オール）」という考え方は、公的医療保険の拡充を目指そうとする立場である。アメリカでは国民皆医療保険が公的に制度化されておらず、政府が提供する医療保険は退役軍人や公務員を対象とするものを除けば、児童向けのもの（ＣＨＩＰ）、低所得者向けのもの（メディケイド）、高齢者や一部の障がい者向けのもの（メディケア）に限られる。この立場は、メディケアの受給資格を拡大することで、政府が提供する医療保険制度を希望者が利用できるようにしようとするものである。

ここで想定されている具体的内容は、実は論者によって異なっている。例えば、オバマ政権期に国民皆医療保険の制度化が目指された時にパブリック・オプションと呼ばれた内容、すなわち、現在の民間医療保険に加えて、政府が提供する医療保険に加入する選択肢を提供しようという立場がある。

また、「シングルペイヤー・システム」と呼ばれた内容、すなわち、既存の民間医療保険を廃止し、連邦政府が管掌する医療保険で全ての人々をカバーすることを目指す人もいる。２０２０年大統領選挙で民主党候補となろうとする人も含め、一部の人が後者の立場に賛意を示して論争を巻き起こしている。医療保険は、健康に関するリスクを広範囲の人々で共有することで困難の軽減を目指すものであることを考えると、シングルペイヤー・システムの考え方は理論的には合理的かもしれない。

◆民間医療保険の発達

だが今日のアメリカでは民間医療保険が発達しており、多くの人がそれに加入している。今日、5000万近い人が無保険状態にあるのは驚くべきことである。だが同時に、公的医療保険が限定的であるにもかかわらず、国民の6人に5人が医療保険に加入していることも驚きである。これは民間医療保険が非常に発達していることを示している。

無保険者の中には経済状態が良好な人も含まれるものの、多くは保険料を支払う余裕のない人たちである。全ての人に公的に医療保険を提供することは、民間保険に加入することのできない貧困者のために、既に保険料を払っている人からさらに費用を徴収することを意味する。そのため、公的医療保険の拡充提案は、既に民間医療保険に入っている人々に、無保険者を助けるために多くの税金を取られることになるのではないかとか、自らの医療保険を取り上げられて水準の低い保険を利用させられるのではないかというような不安を抱かせる。オバマ政権期にパブリック・オプションの導入すらできず、いわゆるオバマ・ケアが全国民に医療保険への加入を義務づけるものに留まったことを考えれば、民主党左派が提唱するような制度変更を行うのは容易ではない。

◆民主党左派の戦略の有効性

今日の民主党では左派の発言力が大幅に増大するとともに、その主張がメディアなどでも積極的に取り上げられている。この状況は民主党にとっては両刃の剣《つるぎ》である。選挙戦を活性化するためには左派の運動の高まりが重要になる。だが、左派の主張の実現可能性は低そうであり、穏健な有権者の反発を招いて、共和党や第3党候補を利することになりかねないからである。

アメリカは、かつてはアメリカン・ドリーム、すなわち、刻苦勉励すれば豊かになることができる、仮に自分自身は貧しいままであり続けたとしても子どもの世代は豊かになるという夢を持つことのできる国だと信じられてきた。だが、今日のアメリカでは、貧富の差が拡大し、さらには世代を経て固定化している。そして、その解消方法をめぐって政党間対立と社会の分断が顕著になっている。これはアメリカに限らず世界の多くの国で見られる現象であるが、格差を是正するための方法を見いだす知恵を見つけ出し、その知恵を広く共有することが果たしてできるのか、今後のアメリカ政治の展開に注目する必要がある。

おわりに

2018年に筆者は『アメリカ政治入門』と『アメリカ政治講義』を、それぞれ東京大学出版会と筑摩書房（ちくま新書）から刊行した。前者は大学の教科書としても利用可能な著書として、後者は一般読者にアメリカ政治の基本的な特徴を解説するための著書として企画されたものだった。両書刊行後、筆者はメディアや講演会などでアメリカ政治の基本的特徴について解説する機会をいただいた。本書の企画は、2018年10月に「アメリカ政治を読み解く」と題する2度の講演を千代田区立日比谷図書文化館主催の日比谷カレッジでさせていただいた際、東京堂出版の吉田知子さんに提案していただいたものである。

吉田さんは本書の基になる章立ても提案してくださった（最終的には筆者が若干の変更を加えた。なお、本書のタイトルも吉田さんに決めていただいた）。筆者は、「これ以上私が一般読者向けの概説書を記す必要はないのではないか」との印象を抱いたものの、吉田さんは「両書は教科書的な性格が強く、手を取りにくい人もいる」とおっしゃり、当時筆者が連載中であった「WEDGE Infinity」の原稿に言及しつつ、多くの人が関心を持ちやすいような時事問題を入り口として、制度や社会システムなどアメリカの構造的特徴が浮かび上がってくるもの、時流に流されることなく長期にわたって読み続けられるものを書いてほしいと述べられた。本書は、吉田さんの提案を受けて、近年のアメリカ政治で起こっていることや有名な事例を入り口にしつつ、アメリカの政治や社会の基本的特徴を明らかにしようと試みたものである。

今日では、インターネット上の媒体などで、各種専門家によって、質が高く、詳細で最新の情報が紹介されている。だが、それらは文字数の制約もあり、時に情報を理解するための制度的前提や歴史的文脈についての説明が十分になされていないこともある。

本書が試みたのは、目前で起こっている現象を理解するために必要なアメリカの政治・社会の基本的特徴を、時事的な問題を通して解説することである。もちろん、二大政党制の基本的特徴や大統領制の仕組みなど、ごく基本的な特徴は東京大学出版会の本やちくま新書でも解説している。だが本書は、選挙管理やソーシャル・メディアの問題、格差の問題など、両書では扱っていない問題も扱っている（逆に、本書で扱っていないテーマを両書は扱っている）。

本書は一般読者にとって煩瑣《はんさ》となることを避けるため、脚注などを付さずに執筆している。だが、いくつかの分野で（筆者自身のものも含めて）最新の研究成果を盛り込んでいる。それらの先行研究の一部を参考文献として掲載しているので、関心を持たれた方にはぜひそれらも参照していただきたい。

本書は様々な方からの恩があって可能になったものである。研究会や各種プロジェクトで筆者を啓発してくださった皆様や、筆者に様々な機会を与えてくださった方々にお礼を申し上げる。また、本書執筆のきっかけを作ってくださった日比谷図書文化館の岩渕博さんと高津久美子さん、「WEDGE Infinity」で筆者を担当してくださった木村麻衣子さんにもお礼を申し上げたい（なお、「WEDGE Infinity」の連載は木村さんの他部署への移籍に伴い終了した）。

筆者は期せずして2019年度より成蹊大学で学長補佐をすることになり、十分な研究・執筆時間を確保するのが容易でなくなった。本書は、ちくま新書刊行時と同様に、西岡穂さんにご協力いただいたことにより実現が可能となった。また、東京堂出版の吉田さんは丁寧に原稿を読んでくださり、懇切なる助言をくださった。そのほか、様々な形で筆者を啓発し、応援していただいている皆様に心からお礼を申し上げたい。

２０１９年12月

西山隆行

主要参考文献

■本書全体にかかわるもの

西山隆行『アメリカ政治入門』東京大学出版会、2018年
西山隆行『アメリカ政治講義』ちくま新書、2018年
岡山裕/西山隆行編『アメリカの政治』弘文堂、2019年
久保文明/砂田一郎/松岡泰/森脇俊雅『アメリカ政治　第三版』有斐閣、2017年

■第1章

西山隆行「[アメリカ政治]政治不信の高まりと政治的分極化」成蹊大学法学部編『教養としての政治学入門』ちくま新書、2019年
西山隆行「トランプ時代のアメリカにおけるポピュリズム」水島治郎編『ポピュリズムという挑戦——岐路に立つ現代デモクラシー』岩波書店、2020年
東京財団政策研究所監修、久保文明/阿川尚之/梅川健編『アメリカ大統領の権限とその限界——トランプ大統領はどこまでできるか』日本評論社、2018年
A・ハミルトン/J・ジェイ/J・マディソン(斎藤眞/中野勝郎訳)『ザ・フェデラリスト』岩波文庫、

1999年
砂田一郎『アメリカ大統領の権力――変質するリーダーシップ』中公新書、2004年
待鳥聡史『アメリカ大統領制の現在――権限の弱さをどう乗り越えるか』NHK出版、2016年
松本俊太『アメリカ大統領は分極化した議会で何ができるか』ミネルヴァ書房、2017年
中林美恵子『トランプ大統領とアメリカ議会』日本評論社、2017年
スティーブン・レビツキー／ダニエル・ジブラット（濱野大道訳）『民主主義の死に方――二極化する政治が招く独裁への道』新潮社、2018年

■第2章

西山隆行「アメリカ合衆国における同性婚をめぐる政治」『立教アメリカン・スタディーズ』No.38（2016年）
西山隆行「ジェンダーとセクシュアリティ」岡山裕／西山隆行編『アメリカの政治』弘文堂、2019年
阿川尚之『憲法で読むアメリカ史（全）』ちくま学芸文庫、2013年
樋口範雄『アメリカ憲法』弘文堂、2011年
ジェフリー・トゥービン（増子久美／鈴木淑美訳）『ザ・ナイン――アメリカ連邦最高裁の素顔』河出書房新社、2013年
堀内一史『アメリカと宗教――保守化と政治化のゆくえ』中公新書、2010年
森本あんり『アメリカ・キリスト教史――理念によって建てられた国の軌跡』新教出版社、2006年

飯山雅史『アメリカ福音派の変容と政治――1960年代からの政党再編成』名古屋大学出版会、2013年
上坂昇『神の国アメリカの論理――宗教右派によるイスラエル支援、中絶・同性結婚の否認』明石書店、2008年
エドウィン・S・ガウスタッド（大西直樹訳）『アメリカの政教分離――植民地時代から今日まで』みすず書房、2007年
スーザン・ジョージ（森田成也／大屋定晴／中村好孝訳）『アメリカは、キリスト教原理主義・新保守主義に、いかに乗っ取られたのか?』作品社、2008年
松本佐保『熱狂する「神の国」アメリカ――大統領とキリスト教』文春新書、2016年

第3章

西山隆行『移民大国アメリカ』ちくま新書、2016年
西山隆行「移民」岡山裕・西山隆行編『アメリカの政治』弘文堂、2019年
古矢旬『アメリカニズム――「普遍国家」のナショナリズム』東京大学出版会、2002年
久保文明／松岡泰／西山隆行／東京財団「現代アメリカ」プロジェクト編『マイノリティが変えるアメリカ政治――多民族社会の現状と将来』NTT出版、2012年
五十嵐武士編『アメリカの多民族体制――「民族」の創出』東京大学出版会、2000年
サミュエル・ハンチントン（鈴木主税訳）『分断されるアメリカ』集英社文庫、2017年

松岡泰『アメリカ政治とマイノリティ――公民権運動以降の黒人問題の変容』ミネルヴァ書房、2006年
上杉忍『アメリカ黒人の歴史――奴隷貿易からオバマ大統領まで』中公新書、2013年
渡辺将人『評伝 バラク・オバマ――「越境」する大統領』集英社、2009年
ティム・ワイズ（上坂昇訳）『オバマを拒絶するアメリカ――レイシズム2・0にひそむ白人の差別意識』明石書店、2010年
シェルビー・スティール（藤永康政訳）『白い罪――公民権運動はなぜ敗北したか』径書房、2011年
鎌田遵『ネイティブ・アメリカン――先住民社会の現在』岩波新書、2009年
石山徳子『米国先住民族と核廃棄物――環境正義をめぐる闘争』明石書店、2004年
ジャスティン・ゲスト（吉田徹／西山隆行／石神圭子／河村真実訳）『新たなマイノリティの誕生――声を奪われた白人労働者たち』弘文堂、2019年
マーク・リラ（夏目大訳）『リベラル再生宣言』早川書房、2018年

■第4章

西山隆行「アメリカにおける銃規制と利益集団政治」『甲南法学』第56巻3・4号（2016年）
西山隆行「アメリカの銃規制をめぐる政治――比較政治学を学ぶ意義」高野清弘／土佐和生／西山隆行編『知的公共圏の復権の試み』行路社、2016年
ルイス・ハーツ（有賀貞訳）『アメリカ自由主義の伝統』講談社学術文庫、1994年

鈴木透『性と暴力のアメリカ――理念先行国家の矛盾と苦悩』中公新書、2006年
松尾文夫『銃を持つ民主主義――「アメリカという国」のなりたち』小学館文庫、2008年
アンソニー・ルイス（池田年穂／籾岡宏成訳）『敵対する思想の自由――アメリカ最高裁判事と修正第一条の物語』慶應義塾大学出版会、2012年
奥平康弘『「表現の自由」を求めて――アメリカにおける権利獲得の軌跡』岩波書店、1999年

■第5章

西山隆行「アメリカの政策革新と都市政治」日本比較政治学会編『都市と政治的イノベーション』ミネルヴァ書房、2010年
西山隆行『アメリカ型福祉国家と都市政治――ニューヨーク市におけるアーバン・リベラリズムの展開』東京大学出版会、2008年
小泉和重『アメリカ連邦制財政システム――「財政調整制度なき国家」の財政運営』ミネルヴァ書房、2004年
川瀬憲子『アメリカの補助金と州・地方財政――ジョンソン政権からオバマ政権へ』勁草書房、2012年

■第6章

渡辺将人『現代アメリカ選挙の集票過程――アウトリーチ戦略と政治意識の変容』日本評論社、2008

年
渡辺将人『現代アメリカ選挙の変貌――アウトリーチ・政党・デモクラシー』名古屋大学出版会、2016年
渡辺将人『アメリカ政治の現場から』文春新書、2001年
コリン・P・A・ジョーンズ『アメリカが劣化した本当の理由』新潮新書、2012年
大西裕編『選挙ガバナンスの実態 世界編――その多様性と「民主主義の質」への影響』ミネルヴァ書房、2017年
松井茂記『ブッシュ対ゴア――2000年アメリカ大統領選挙と最高裁判所』日本評論社、2001年

第7章

西山隆行「『アメリカ』権力を持った保守の苦悩」阪野智一・近藤正基編『刷新する保守』弘文堂、2017年
中山俊宏『アメリカン・イデオロギー――保守主義運動と政治的分断』勁草書房、2013年
会田弘継『トランプ現象とアメリカ保守思想』左右社、2016年
岡山裕『アメリカ二大政党制の確立――再建期における戦後体制の形成と共和党』東京大学出版会、2005年
久保文明編『米国民主党――2008年政権奪回への課題』日本国際問題研究所、2005年
吉原欽一『現代アメリカの政治権力構造――岐路に立つ共和党とアメリカ政治のダイナミズム』日本評論

社、2000年
佐々木毅『アメリカの保守とリベラル』講談社学術文庫、1993年
西川賢『分極化するアメリカとその起源――共和党中道路線の盛衰』千倉書房、2015年
西川賢『ビル・クリントン――停滞するアメリカをいかに建て直したか』中公新書、2016年

■第8章

前嶋和弘・山脇岳志・津山恵子編『現代アメリカ政治とメディア』東洋経済新報社、2019年
前嶋和弘『アメリカ政治とメディア――「政治のインフラ」から「政治の主役」に変貌するメディア』北樹出版、2010年
清原聖子・前嶋和弘編『ネット選挙が変える政治と社会――日米韓に見る新たな「公共圏」の姿』慶應義塾大学出版会、2013年
ジェイミー・バートレット（秋山勝訳）『操られる民主主義――デジタル・テクノロジーはいかにして社会を破壊するか』草思社、2018年

■第9章

西山隆行「自由主義レジーム　アメリカの医療保険・年金・公的扶助」新川敏光編『福祉＋α：福祉レジーム』ミネルヴァ書房、2015年
西山隆行『アメリカ型福祉国家と都市政治――ニューヨーク市におけるアーバン・リベラリズムの展開』

東京大学出版会、２００８年
安井明彦『アメリカ　選択肢なき選択』日経プレミア新書、２０１１年
渋谷博史『20世紀アメリカ財政史（Ⅰ〜Ⅲ）』東京大学出版会、２００５年
吉田健三『アメリカの年金システム』日本経済評論社、２０１２年
天野拓『オバマの医療改革――国民皆保険制度への苦闘』勁草書房、２０１３年
山岸敬和『アメリカ医療制度の政治史――20世紀の経験とオバマケア』名古屋大学出版会、２０１４年
トマ・ピケティ（山形浩生・守岡桜・森本正史訳）『21世紀の資本』みすず書房、２０１４年
ケネス・シーヴ／デイヴィッド・スタサヴェージ（立木勝訳）『金持ち課税――税の公正をめぐる経済史』みすず書房、２０１８年
Steuerle , C. Eugene (2014) *Dead Men Ruling: How to Restore Fiscal Freedom and Rescue Our Future,* The Century Foundation.

写真出典

22頁　著作者Sarah Huckabee Sanders：https://twitter.com/PressSec/status/1096439568063184896, パブリックドメイン、リンク：https://commons. wikimedia.org/w/index.php?curid=79999541

43頁　著作者Warren, Henry F.、パブリックドメイン、リンク：https://commons.org/w/index.php?curid=6333777

85頁　ロシア大統領府公式サイト　www.kremlin.ru（2018年7月16日、ヘルシンキサミットにて）

121頁　フォトライブラリー

171頁　著作者Anthony at en.wikipedia、パブリック・ドメイン、リンク：https://commons.wikimedia.org/w/index.php?curid=216158

【ま行】

【ら行】

【わ行】

【さ行】

【た行】

【な行】

【は行】

【ら行】

人名索引

【あ行】

【か行】

【な行】

【は行】

【ま行】

【さ行】

【た行】

項目索引

【あ行】

【か行】

西山　隆行（にしやま・たかゆき）

1975年生まれ。東京大学大学院法学政治学研究科博士課程修了、博士（法学）。甲南大学法学部教授を経て、現在は成蹊大学法学部教授。専門は比較政治・アメリカ政治。単著に『アメリカ政治入門』（東京大学出版会、2018年）、『アメリカ政治講義』（ちくま新書、2018年）、『移民大国アメリカ』（ちくま新書、2016年）、『アメリカ政治』（三修社、2014年）、『アメリカ型福祉国家と都市政治』（東京大学出版会、2008年）、共編著に『アメリカの政治』（弘文堂、2019年）、『知的公共圏の復権の試み』（行路社、2016年）、『マイノリティが変えるアメリカ政治』（NTT出版、2012年）など多数。

格差と分断のアメリカ

2020年２月10日　初版印刷
2020年２月20日　初版発行

著　　者　西山　隆行
発 行 者　金田　功
発 行 所　株式会社 東京堂出版
〒101-0051　東京都千代田区神田神保町1-17
電　話　(03)3233-3741
http://www.tokyodoshuppan.com/

装　　丁　斉藤よしのぶ
図版作成　藤森瑞樹
D　T　P　株式会社オノ・エーワン
印刷・製本　中央精版印刷株式会社

ISBN978-4-490-21026-2 C0031

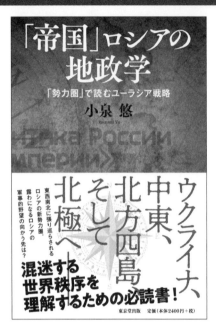